Svezzamento, passo dopo passo

La Leche League

NON FOTOCOPIARMI

PER FAVORE !!!

LLL vive anche grazie alle pubblicazioni.

Se vuoi aiutarci comprane

un'altra copia!

LA LECHE LEAGUE ITALIA
via Antonio Veranzio, 15 - 00143 Roma
www.lllitalia.org
Puoi anche telefonare al numero unico nazionale

199 432326

Finito di stampare nel mese di luglio 2009 presso la Tipolitografia editrice Lumini - Travagliato (Bs)

INDICE

Svezzamento: definiamo i termini

La parola "svezzamento", nella nostra lingua, si può riferire a due esperienze distinte, da non confondere: **il percorso** che il bambino comincia con l'introduzione dei primi cibi, ed anche **la conclusione** definitiva dell'allattamento. Il contesto in genere chiarisce il senso attribuito alla parola, anche se, a volte, il confine fra le due esperienze non è netto ed entrambi i significati risultano inclusi nello stesso termine, per poter esprimere un determinato concetto.
In questo opuscolo, ci limitiamo a trattare lo svezzamento dei bambini allattati al seno. Molte delle idee e dei concetti presentati qui saranno comunque applicabili anche ai bambini che sono alimentati in altro modo, ma dovranno essere integrati con altre informazioni, che prendano in considerazione i bisogni particolari dei bambini in base alle caratteristiche dei diversi tipi di sostituti del latte materno impiegati.

RINGRAZIAMENTI

Questo opuscolo è frutto del lavoro di squadra di molte consulenti e sostenitori de La Leche League Italia. Ognuna ha apportato delle proposte e delle modifiche affinché i precedenti opuscoli sull'alimentazione solida e sullo svezzamento fossero aggiornati, integrati, resi maggiormente comprensibili e adattati alla realtà italiana.

Ringraziamo dunque:

Antonella Sagone e **Shera Lyn Parpia Khan** per aver scritto gli articoli, per le traduzioni e per aver seguito dall'inizio alla fine, con amore materno e incredibile pazienza, la lunga "gestazione e parto" dell'opuscolo,

Anna Camplani per la traduzione dell'articolo di **Nancy Mohrbacher**;

Paola Negri per la consulenza sull'alimentazione naturale;

Francesca Vitale per aver controllato, tagliato ed assemblato gli articoli, ed integrato con brevi testi dove necessario;

Antonietta Baldi e **Cristina de Marinis** per la supervisione finale;

Antonella Nazzaro per il controllo della bozza finale;

Federica Bonato, Silvia Peroni e tutte le altre consulenti e mamme, impossibili da elencare, che hanno dato il loro contributo con commenti, idee, ed altro.

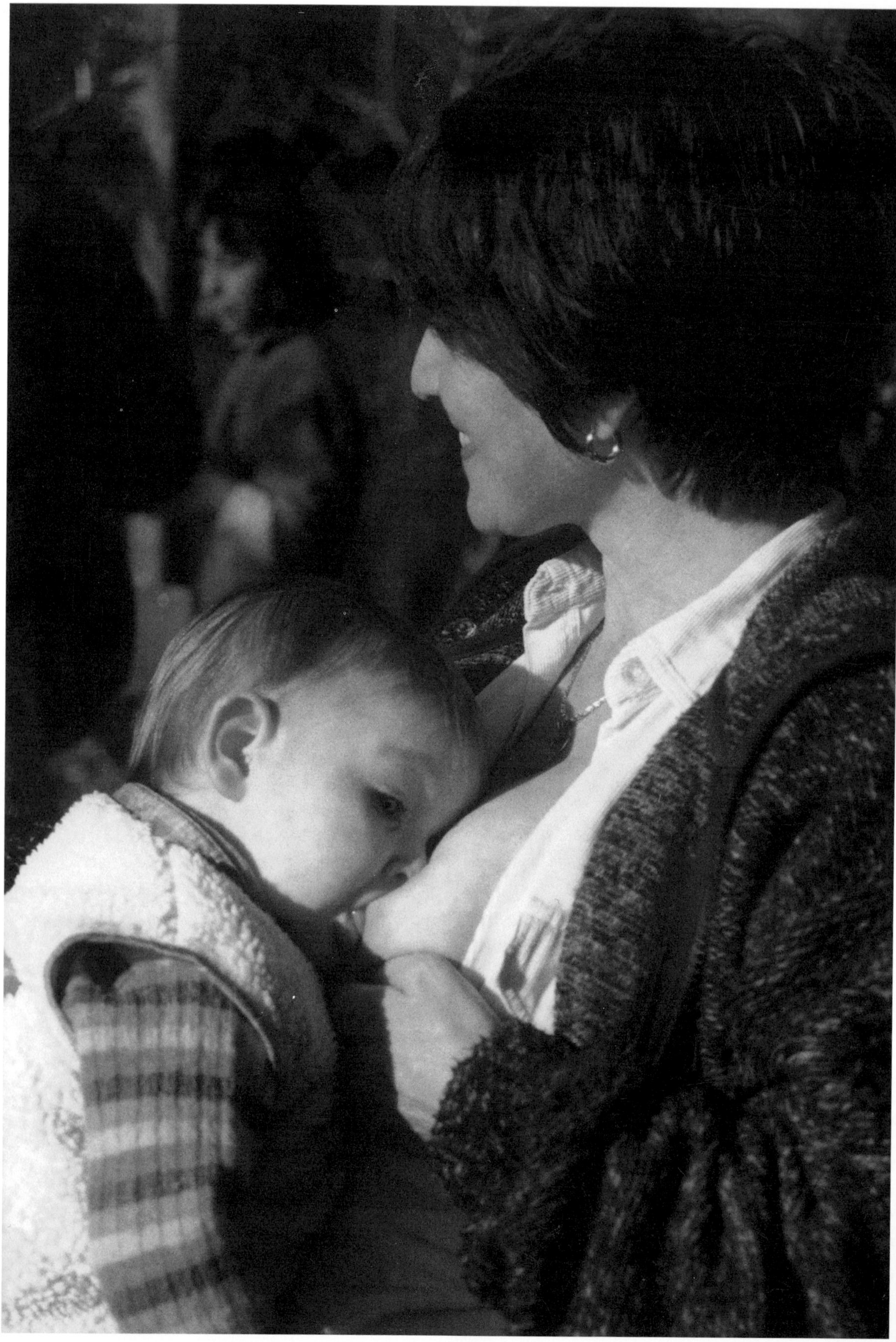

"SVEZZAMENTO" È QUALCOSA IN PIÙ[1]

ANTONELLA SAGONE

Lo svezzamento viene spesso descritto come un passo importante sulla strada dell'autonomia. In realtà, più che un passo, è un lungo cammino; quando il bambino vi è pronto può essere un'avventurosa passeggiata fatta insieme alla mamma; in caso contrario può diventare a volte un percorso in salita.

Un'idea diffusa è che il bambino in sé non vorrebbe mai smettere di poppare e gustare il latte materno, per cui lo svezzamento è visto come una necessaria forzatura che avviene sempre per iniziativa e insistenza dell'adulto. Quest'idea è quantomeno curiosa perché in contrasto con il fatto che apprendere ad alimentarsi come gli adulti fa parte del processo evolutivo di crescita fisica, psicologica e sociale di ogni cucciolo umano, così come iniziare a camminare o a parlare. Nessun bambino "vuole" restare piccolo o dipendente: semplicemente, fino a una certa età i bambini "sono" piccoli e dipendenti!

Nessun bambino "vuole" restare piccolo o dipendente: semplicemente, fino a una certa età i bambini "sono" piccoli e dipendenti!

Le aspettative negative sullo svezzamento - l'idea che sia spiacevole per il bambino, che esso resisterà al cambiamento, che bisognerà usare dei "trucchi" per farlo mangiare - derivano semplicemente dal fatto che nella nostra cultura questo processo viene spesso affrontato troppo presto. Se il bambino non è pronto ad altri cibi, e il riflesso di masticazione non si è ancora sviluppato, egli sputerà il cibo semplicemente per la presenza di un riflesso, che gli fa spingere con la lingua fuori dalla bocca qualunque cosa che non sia liquida; questo può dare l'impressione che egli rifiuti il cibo. Al di là di questo, un bambino di meno di sei, sette mesi (anche di più se il bambino è allergico) può effettivamente rifiutare il cibo semplicemente perché non è ancora interessato; oppure può essere incuriosito, ma non ancora pronto a ingerire grandi *quantità* di cibo.

L'idea comune dello svezzamento è in parte fuorviante per la mamma che allatta al seno, perché è costruita anch'essa sul modello e sull'esperienza dei bambini alimentati con il biberon. Dare un biberon educa l'adulto a ragionare in termini di quantità, in termini di "vuoto e pieno": il biberon pieno è il pasto che "deve" prendere il bambino, e quando il biberon è vuoto il pasto è finito. Al momento dello svezzamento il biberon viene semplicemente sostituito dalla scodella; l'adulto si aspetta che il risultato positivo sia che il bambino la vuoti, che "mangi tutto".

> ***Il bambino allattato al seno ... conoscerà già i piaceri di una dieta variata nei gusti.***

Una mamma che allatta a richiesta, senza orari e quantità prefissate, ha avuto molti mesi per conoscere il modo in cui il suo bambino preferisce nutrirsi e sa che è capace di autoregolarsi; sarà meno ansiosa di controllare direttamente i tempi e le quantità che il bambino mangia e si troverà meglio continuando come già ha fatto sinora, cioè lasciando che sia il bambino a dire "basta" o "ancora". È più facile seguire la richiesta del bambino quando il bambino è grande abbastanza da portarsi il cibo da solo alla bocca, gestire in bocca un cibo che non sia del tutto omogeneizzato, controllare i muscoli della schiena abbastanza da stare seduto da solo e girarsi dall'altra parte quando non ne vuole più.

Forse l'idea che il bambino non gradisca la novità del cibo, o che aggiungere zucchero sia utile o necessario, può essere anch'essa in parte derivata dall'esperienza con bambini nutriti esclusivamente con la formula artificiale. Questi bambini per diversi mesi conoscono un solo sapore, quello della marca di latte prescelta, e non sono preparati ad incontrarne di così diversi e nuovi come la grande varietà dei cibi successivi può offrire. Il bambino allattato al seno invece, specialmente se la mamma non è stata mal consigliata così da escludere cibi saporiti o aromatici dalla sua dieta, conoscerà già i piaceri di una dieta variata nei gusti e, se al momento dello svezzamento gli si proporranno gli stessi cibi che mangia la sua mamma, sarà come ritrovare vecchi sapori in modo nuovo. Molte mamme di bambini allattati esclusivamente al seno hanno notato che, a differenza dei bambini abituati al sapore dolce del latte artificiale, i

loro figli al momento dello svezzamento sembrano molto interessati ai cibi "saporiti" degli adulti e hanno reazioni di disgusto per i sapori troppo dolci.
Molte delle difficoltà che le mamme e i loro bambini incontrano nella fase dello svezzamento derivano dall'idea che svezzare significhi dare una cosa al posto di un'altra: la pappa al posto del latte della mamma. Quest'idea dello svezzamento come sostituzione di un pasto di latte con uno di cibo solido, deriva ancora una volta da un certo tipo di strategia che è quella normalmente consigliata per l'alimentazione al biberon.

Quando un bambino ha pasti cadenzati durante una giornata è facile pensare allo svezzamento come a un semplice cambiamento di menù e quindi procedere sostituendo un biberon con una pappa; questo è di fatto ciò che consiglia e descrive la stragrande maggioranza dei libri di puericultura e delle riviste per genitori. In effetti chi usa il biberon per dare al bambino il nutrimento, si trova a poter semplicemente sostituire il contenuto, con la sola operazione di allargare i fori della tettarella per far passare bene la pappa.

Molte delle difficoltà che si incontrano nella fase dello svezzamento derivano dall'idea che svezzare significhi dare una cosa al posto di un'altra.

Trasferire questo approccio a una coppia madre-bambino che sta effettuando l'allattamento al seno a richiesta è molto difficile. Prima di tutto essi potrebbero non avere orari regolari per le poppate, mentre rendere disponibile un pasto è un evento che ha bisogno di una certa preparazione; poi il bambino che impara a mangiare deve contemporaneamente affrontare la novità non solo del sapore e della consistenza diversa, ma anche della diversa modalità di somministrazione (con le mani o con il cucchiaio, invece che poppando). Per apprendere la tecnica giusta il bambino può avere bisogno di un certo tempo, durante il quale il cibo che andrà in bocca - e che riuscirà ad essere deglutito - potrà essere una quantità molto esigua. Questo è tanto più vero quanto più il bambino è piccolo - meno di cinque, sei mesi.

...la quantità di pappa non ha molta importanza all'inizio, ... il latte è sempre la cosa più nutriente che puoi dare a tuo figlio.

Per una mamma abituata all'allattamento a richiesta, la quantità di pappa non ha molta importanza all'inizio, perché ella ha fiducia nella capacità di autoregolazione del bambino, ma soprattutto perché sa che il suo latte è sempre la cosa più nutriente che può dare a suo figlio; e sa che il bambino può accedere al seno ogni volta che vuole, e quindi non gli mancherà comunque il nutrimento. Diverso è se la mamma sta cercando di sostituire una poppata al seno con un pasto al cucchiaio: allora sarà più ansiosa di "far finire" il pasto al bambino fin dalla prima volta, e sarà più facile il rischio di forzare la mano o creare resistenze. Come sempre il modello del biberon mal si adatta all'allattamento materno; una mamma che allatta al seno il suo bambino si troverà più a suo agio continuando ad allattare a richiesta e offrendo al bambino, al momento dei pasti familiari, altri cibi in aggiunta e non in sostituzione del seno.

Una delle resistenze maggiori ad uno svezzamento guidato dal bambino è l'idea che sia l'adulto a dovergli insegnare a mangiare. In realtà tale capacità è iscritta nei geni di ogni piccolo essere umano e al momento giusto è il bambino stesso ad allungare la manina e a "rubare" il cibo dal piatto - a volte persino dalla bocca! - dei suoi genitori. La sua curiosità è fortissima, l'impulso ad imitare gli adulti anche. Sfruttando tali istinti, e mettendo il bambino a tavola con gli adulti (invece che da solo a farsi imboccare), la cosa difficile potrà essere trattenerlo...

Il biberon non è affatto un passaggio obbligato nella vita di un bambino.

Alcuni bambini si interessano al cibo molto lentamente, con un processo graduale che dura molti mesi, e non assumono quantità consistenti fino ad oltre l'anno; altri si avventano con passione sul piatto e si fanno imboccare come uccellini. Ci sono bambini abitudinari, che una volta iniziato continuano a mangiare in modo regolare, esprimendo gusti ben definiti; altri sono più volubili e curiosi, amano le novità e alternano periodi di entusiasmo per la tavola ad altri di disinteresse e di ritorno al seno materno. Ogni bambino è diverso e non c'è un modo solo per effettuare lo svezzamento, anche se tutti, alla lunga, si concludono allo stesso modo: con l'alimentazione solida e l'abbandono del seno.

Il biberon non è affatto un passaggio obbligato nella vita di un bambino, inoltre richiede una spesa e un lavoro in più per la madre (anche perché un biberon non perfettamente lavato ed asciugato presenta un rischio in più per l'igiene, rischio molto inferiore se si usa un semplice bicchiere con bordi lisci), oltre a comportare, a qualsiasi età venga introdotto, un rischio di confondere la tecnica di suzione del poppante. Si è scoperto che anche un bambino piccolissimo è capace di imparare a bere da una tazzina; e se ha superato la metà del primo anno, non c'è proprio motivo di ricorrere a costose attrezzature o a cibi speciali quando egli ormai può bere e mangiare cibi freschi e naturali direttamente dal bicchiere e dal piatto.

I primi assaggi ... servono per abituare il bambino a sensazioni, stimoli e modi di fare nuovi, non necessariamente per fornirgli il nutrimento.

Molte mamme saranno sorprese alla notizia che si può passare dal seno materno alla tavola senza mai aver avuto bisogno di usare biberon; eppure ciò è del tutto naturale e praticato da tante famiglie che hanno scelto di effettuare lo svezzamento al momento giusto, con calma e semplicità, lasciandosi guidare dal loro bambino.

L'idea dello *svezzamento come sostituzione* disorienta le mamme che sanno che l'allattamento materno non è solo cibo. Si dice loro: "Devi prenderlo per fame..." - un assedio invece che un convivio!

La mamma che ha appreso a fidarsi di suo figlio sente invece istintivamente che non si tratta di togliere ma di aggiungere; i cibi della tavola sono una cosa in più che il bambino è pronto a ricevere, così come più avanti sarà pronto ad abbandonare il seno materno per altre forme di relazione.

I primi assaggi di cibi diversi dal latte materno servono per abituare il bambino a sensazioni, stimoli e modi di fare nuovi, non necessariamente per fornirgli il nutrimento. Quante persone hanno voglia di provare novità quando sono affamate? Meglio un momento in cui si è piacevolmente rilassati, per provare una cosa nuova, sicuri che se non ci piace possiamo comunque ripiegare su ciò che è familiare.

E poi non è solo una questione di fame e di sazietà: la mamma che allatta a richiesta sa che il suo bambino al seno "poppa", non "fa dei pasti": non solo e non sempre si tratta di mangiare. Anche se il nutrimento che il bambino riceve dal seno materno è ancora, qualitativamente e quantitativamente, la sua fonte alimentare principale, la poppata per lui è anche conforto, riposo, socializzazione, cura, conversazione, gioco.

Quante persone hanno voglia di provare novità quando sono affamate? Meglio un momento in cui si è piacevolmente rilassati...

Tutte cose che potrà naturalmente, e con gioia, imparare a fare anche a tavola con la sua famiglia, cosicché, anche quando sarà svezzato, contribuirà a creare e mantenere una cultura della nutrizione che non sia solo un mero introdurre - senza perdere troppo tempo - gli alimenti necessari, bensì anche un momento di piacere e convivialità.

[1] Adattamento ed aggiornamento dell'articolo pubblicato originalmente in Da mamma a mamma n. 40, estate 1995

QUANDO IL BAMBINO IMPARA A MANGIARE[2]

ANTONELLA SAGONE

Secondo l'Organizzazione Mondiale della Sanità ...

Estratto dalla risoluzione 54.2 del maggio 2001

La 54° Assemblea Mondiale della Sanità *esorta gli stati membri a:*

- rafforzare le attività e sviluppare nuovi approcci per proteggere, promuovere e sostenere l'allattamento al seno esclusivo per sei mesi come raccomandazione di salute pubblica mondiale, tenendo in considerazione il rapporto del comitato tecnico degli esperti dell'OMS sulla durata ottimale dell'allattamento al seno, e per continuare ad allattare, con l'aggiunta di altri alimenti sicuri ed appropriati, fino a due anni ed oltre, dando importanza ai canali per la divulgazione sociale di questi concetti affinché le comunità aderiscano a queste pratiche.

Se nei primi mesi di vita hai allattato al seno, a richiesta e senza integrazioni né di latte né di altri liquidi, allora tuo figlio non ha bisogno di altro, per nutrirsi bene, fino almeno al sesto mese di età. Questo concetto è stato recentemente ribadito dall'Organizzazione Mondiale della Sanità, a seguito delle ormai numerosissime ricerche che comprovano come il sistema digerente (riflessi di masticazione e deglutizione, apparato intestinale, enzimi digestivi, funzioni renali) raggiunga in genere la maturazione necessaria per affrontare cibi diversi dal latte materno soltanto nel secondo semestre di vita.
Certamente, se si spinge il bambino a mangiare altri alimenti nei primi mesi, il suo organismo precocemente stimolato imparerà a modellarsi sulla nuova situazione; ma si tratta di una "forzatura della macchina" le cui conseguenze sono difficilmente valutabili.
Anche dopo la metà del primo anno, e per tutto il tempo in cui prosegue l'allattamento, il latte materno continua a possedere tutti i preziosi

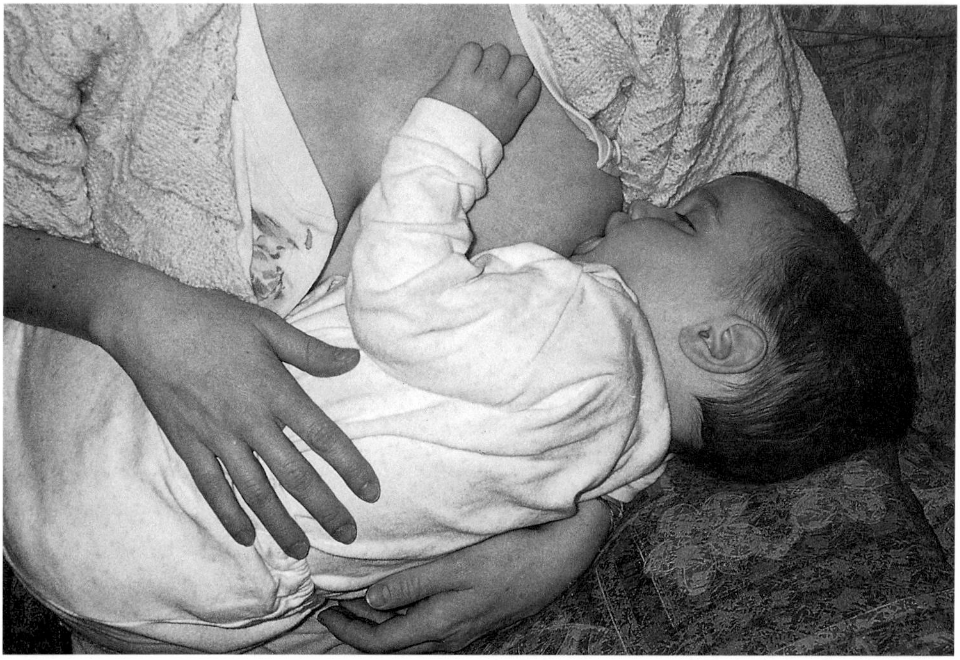

elementi (proteine, acidi grassi, sostanze oligominerali, enzimi, fattori di crescita, ormoni, anticorpi) che aveva nei primi mesi; ma le crescenti necessità del bambino richiedono che tale apporto venga progressivamente *integrato* con altri alimenti. Tuttavia egli ha bisogno di apprendere il nuovo modo di nutrirsi, e quindi possono essere necessarie ancora alcune settimane o mesi di "rodaggio", prima che impari a soddisfare la sua fame con ciò che assume al di fuori dal seno materno. Pertanto nel secondo semestre, per qualche tempo, il bambino *si nutrirà* ancora prevalentemente con il tuo latte e *farà esperienza* con gli altri cibi.

Che cosa vuol dire "svezzamento"

Lo svezzamento è il percorso evolutivo, naturale in tutti i bambini, che comincia con il primo assaggio di un cibo diverso dal latte materno, procede con la progressiva acquisizione della capacità di nutrirsi con una sempre più ampia gamma di alimenti, seguita dal graduale abbandono dell'allattamento, per una dieta simile a quella degli altri componenti della famiglia. Lo svezzamento si conclude quando il bambino non richiede più di poppare.

La parola "svezzamento", nella nostra lingua, si può riferire a due esperienze distinte, da non confondere: *il percorso* che il bambino comincia con l'introduzione dei primi cibi, ed anche *la conclusione* definitiva dell'allattamento. Essa risulta a volte una parola ambigua anche perché usata indifferentemente per l'allattamento al seno e per quello artificiale. Accade così che certi consigli, dati genericamente, vengano applicati dalle madri che allattano al seno benché siano pensati per quelle che allattano artificialmente.

"Svezzamento" significa letteralmente "togliere un'abitudine, un vizio, un vezzo". Quando questo termine è impiegato per definire il passaggio ad un'alimentazione varia, può risultare fuorviante, facendo ritenere che poppare al seno sia un'abitudine che debba essere sradicata e sostituita dai pasti a tavola. La conquista della capacità di nutrirsi autonomamente è piuttosto la trasformazione continua e graduale del modo di alimentarsi, passando da una dieta di solo latte materno ad una complementare (latte materno ed altri cibi liquidi, semisolidi e solidi) ed infine ad una dieta simile a quella degli adulti. Lo svezzamento inteso come la fine del rapporto di allattamento, avviene a conclusione di questo processo.

Quindi vi sono due fasi in successione:

- *prima*, l'introduzione di altri alimenti,
- *dopo*, il graduale svezzamento dal seno.

INTRODUZIONE DI ALTRI ALIMENTI

Lascialo imparare

Mentre il bambino apprende a mangiare è utile che si possa ancora alimentare pienamente con il latte materno. Se si attacca al seno ogni volta che lo desidera riceverà comunque l'apporto di nutrienti che gli necessita; ciò si può ottenere proseguendo l'allattamento come prima, a richiesta. È molto tranquillizzante sapere che tuo figlio si può saziare in ogni caso, anche se al piatto o al bicchiere ha mangiato poco; puoi così lasciare che il piccolo impari senza fretta e senza forzature faticose e spiacevoli per lui e per te. Alcuni genitori temono che mantenendo un orario libero per le poppate il bambino non si abitui poi ad una regolarità nei pasti; ma è sufficiente far sì che questi ultimi, a differenza delle poppate, seguano gli stessi ritmi del resto della famiglia per creare un'abitudine. È anche vero che alcune famiglie hanno uno stile di vita che non consente orari precisi per i pasti e quindi non si può suggerire una regola generale che valga per tutti. Alla fine non ha importanza che il bambino mangi ad un orario particolare, o quanto mangi, ma che si adatti alle abitudini familiari e che mangi seduto alla stessa tavola.

Puoi lasciare che il piccolo impari senza fretta e senza forzature faticose e spiacevoli per lui e per te.

Qui di seguito sono offerti alcuni suggerimenti (altri ne potrai trovare tu secondo le preferenze della tua famiglia) per far sì che il bambino impari a mangiare da sé:

- Appena il bambino è in grado di sostenere la parte bassa della schiena (in genere dai 4-5 mesi) probabilmente gradirà stare a tavola con il resto della famiglia, al momento del pasto, ma senza ancora assaggiare il cibo: comincerà, osservando e percependo gli odori, a farsi un'idea di cosa significa mangiare e la sua curiosità verso il cibo aumenterà spontaneamente; comincerà anche a condizionarsi all'abitudine del pasto quotidiano.

- Intorno al sesto mese comincia a mettere davanti a lui qualche cibo che possa provare a mangiare con le mani. Proponi un cibo per volta e lascia che lo esamini finché non è stufo; varia di volta in volta le forme, i colori, le dimensioni e la consistenza dei cibi: da quelli solidi, che può tenere in mano e mettere in bocca (pane integrale raffermo, carota, sedano, mela, banana, germogli ecc...) a quelli semisolidi, che può pasticciare e leccarsi dalle dita (polente, puree e semolini densi, frutti molli e poi riso ed altri cereali conditi ecc...). In questa prima fase non è importante che il bambino mangi, ma che giochi ed assaggi; deve prima capire che quegli strani sapori e consistenze sono cibo, ancora non lo sa.

In questa prima fase non è importante che il bambino mangi, ma che giochi ed assaggi.

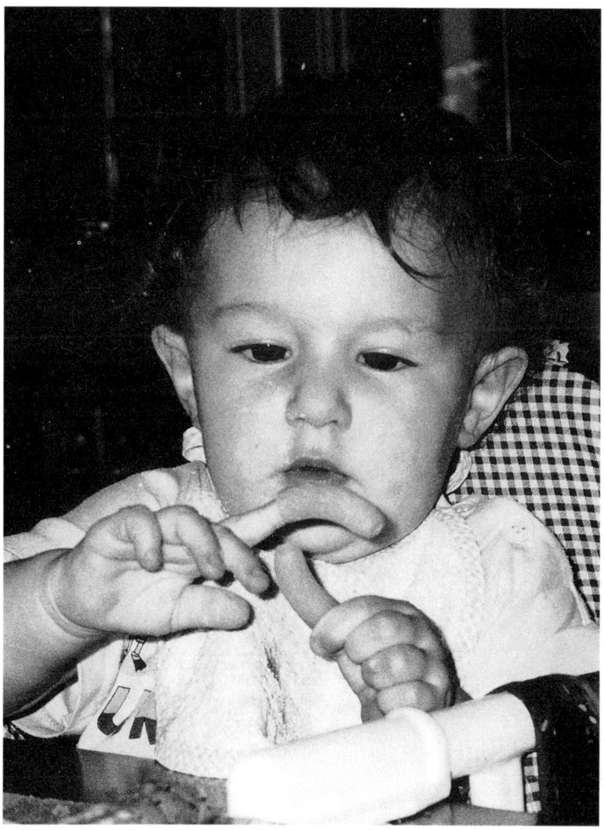

- Nei primi tempi è opportuno evitare di mettere a tavola tuo figlio quando è affamato: non dimostrerà alcun interesse per il cibo e vorrà poppare. Semmai potrai cercare di fare il contrario, allattarlo appena prima del pasto: placata la fame sarà disponibile a fare esperimenti con la pappa. Insomma durante il pasto il bambino deve essere rilassato e quindi se c'è qualche necessità (allattarlo, cambiarlo ecc...) è bene che sia soddisfatta prima di metterlo a tavola. Quando il bambino avrà più dimestichezza con il cibo potrà invece accedere direttamente alla tavola per saziarsi con il pasto.

- Imboccare il bambino non è necessario, dato che in questa fase sta semplicemente prendendo confidenza col cibo e la quantità non è importante finché egli si alimenta, almeno cinque volte al giorno, con il latte materno; non è il caso di insistere perché mangi ancora un po' quando è poco interessato. Se lasci il bambino libero di portare il cibo alla bocca da solo, sarà più facile per te cominciare a capire le sue esigenze e preferenze e il suo istinto di autoregolazione verrà conservato.

Il bambino non ha bisogno di alcuna attrezzatura "speciale" per imparare a bere dal bicchiere o a mangiare dal piatto.

- Alcuni bambini desiderano da subito quantità di cibo consistenti, perciò gradiscono essere imboccati; in questo caso mentre lo imbocchi puoi mettere in mano anche a lui un cucchiaino, e lasciare che faccia da solo con quello o con le mani, quando non è più troppo affamato, in modo da fare pratica.

- È molto importante che il bambino possa toccare liberamente ciò che mangia con le mani; questo, oltre a facilitare il coordinamento occhi-mani-bocca, gli permette di prendere confidenza con i cibi e soprattutto fa sì che per lui il mangiare diventi un avvenimento interessante, piacevole e desiderabile. Non forzarlo ad usare la destra perché potresti interferire con il suo sviluppo neurologico se per caso fosse mancino od ambidestro.

- Contemporaneamente ai cibi solidi puoi cominciare a dare al bambino dei liquidi (brodo vegetale, succhi di frutta e verdura) che può imparare a bere con la cannuccia o direttamente dal bicchiere. I bicchieri che hanno il coperchio che termina con una tettarella non sono necessari, in effetti il bambino non ha bisogno di alcuna attrezzatura "speciale" per imparare a bere dal bicchiere o a mangiare dal piatto: tutto sta ad aspettare il momento opportuno per proporgli questi apprendimenti.
- All'inizio può succedere che tuo figlio sputi ciò che finisce in bocca: finora ha solo succhiato, deve prima apprendere i movimenti giusti della bocca e della lingua per mandare giù cibi di consistenza diversa. In genere, se il bambino è maturo per i cibi solidi, questo riflesso scompare molto rapidamente, in caso contrario può significare semplicemente che il bambino non è ancora pronto per questo passo.

Gli omogeneizzati, all'origine sono stati concepiti per i malati con gravissimi problemi all'apparato digerente; solo in seguito sono stati utilizzati come alimento per l'infanzia, per somministrare al neonato, in un'età in cui non è ancora pronto, cibi diversi dal latte materno. Dopo la metà del primo anno non sono necessari ed anzi tendono a condizionare il bambino a rifiutare, più avanti, tutto ciò che non è totalmente sminuzzato.

- Se il bambino tende a rompere a pezzi troppo grossi il cibo, si possono offrire cibi che si disfano lentamente in bocca (come il tradizionale tozzo di pane secco), oppure vegetali dotati di lunghe fibre (come il sedano o il finocchio) che il piccolo può succhiare senza riuscire a frantumare. Per faticare meno puoi frullare grossolanamente o sminuzzare per tuo figlio un cibo che mangiate anche voi; o anche unire soltanto alla fine al vostro piatto quegli ingredienti che il bambino non può mangiare.

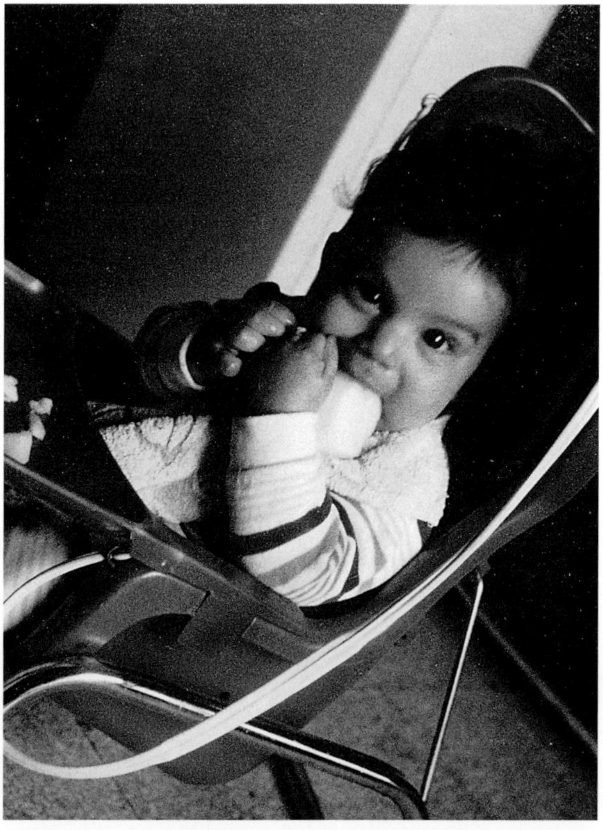

- Purtroppo le allergie e le intolleranze alimentari sono in forte aumento perciò è prudente introdurre un nuovo cibo per volta, aumentando le quantità molto gradualmente; se ci sono reazioni (eczema, orticaria, diarrea) sospendi quell'alimento e riprova solo dopo diverse settimane.

- Se il bambino non mangia "calorie vuote", come dolciumi e merendine, riesce in genere ad autoregolarsi: se non ne vuole più vuol dire che ne ha preso abbastanza; le quantità richieste dall'organismo di un bambino di questa età sono variabili da un bambino all'altro e da un periodo all'altro.
- Se tuo figlio si oppone fermamente ad alimenti diversi dal latte materno, sputa sistematicamente ciò che gli viene introdotto in bocca e non mostra interesse per il cibo, può non essere ancora pronto: non tutti i bambini sono uguali. Puoi tornare ad allattare esclusivamente al seno per un paio di settimane e poi provare di nuovo.
- Il bambino a tavola dovrebbe essere libero di "fare conoscenza" con il cibo, sperimentando odori, sapori e consistenze in un'atmosfera rilassata. Perciò è importante interferire il meno possibile, pulendogli troppo spesso viso e mani, o distraendolo con canzoncine, giochi e favolette: tuo figlio è già istintivamente curioso verso il cibo e se viene lasciato tranquillo a fare esperimenti non avrà in seguito bisogno di essere nutrito a forza o con dei trucchi. L'ideale poi sarebbe che non ci fossero discussioni a tavola né televisione accesa... ma questo forse sarebbe ideale anche per gli adulti!

Il bambino a tavola dovrebbe essere libero di "fare conoscenza" con il cibo.

Come organizzarsi per iniziare

- Per diminuire il tuo lavoro puoi aprire, sul pavimento sotto al seggiolone, un giornale che poi verrà buttato; Puoi proteggere i vestiti del tuo bambino mettendogli un grembiulino (come quelli per l'asilo), o anche una vecchia maglietta di papà (con un elastico infilato ai bordi delle maniche). I bavaglini sono funzionali soprattutto se molto ampi e impermeabili, ora ve ne sono in commercio alcuni dotati anche di maniche. Infine conviene proporre solo piccole quantità di cibo alla volta, così avrai meno pasticci da pulire e potrai mantenere tiepido il resto del pasto. Quando fa caldo avrai molto meno lavoro se gli metterai addosso solo il pannolino, e (nel caso ne abbiate la possibilità) se mangerete all'aperto.

- Se il tuo bimbo vuol fare da solo, quando avrà finito forse dovrai lavarlo e cambiarlo, ma in compenso avrai mangiato tranquillamente invece di starlo ad imboccare mentre il tuo pranzo si raffredda.
- Non forzarlo ad assumere comportamenti "educati"; li imparerà spontaneamente più tardi, imitando il tuo esempio, ora va lasciato libero di esplorare.
- Lasciare libero il bambino non significa necessariamente permettergli tutto (lancio di oggetti contundenti, pappe scagliate a raffica tutt'intorno, tovaglie tirate giù, ecc...); puoi agire garbatamente per distoglierlo dalle azioni più catastrofiche e, soprattutto, cercare di prevenirle.
- Per quanto è possibile, fa' sì che il momento del pranzo sia per tuo figlio ben individuabile e non diluito nell'arco di ore fra un gioco e l'altro. Non si tratta di costringerlo a tavola finché non ha mangiato, ma se è di quei bambini che non riescono a fermarsi un minuto, evita di inseguirlo per tutta la casa imboccandolo. Se proprio non riesce a stare a tavola, forse significa semplicemente che non è ancora pronto ad interessarsi al cibo.

Rilassati ...lo pulirai dopo e, per quanto riguarda il nutrirlo, c'è ancora il tuo latte che provvede in buona parte.

- Rilassati e pensa a mangiare: lo pulirai dopo e, per quanto riguarda il nutrirlo, c'è ancora il tuo latte che provvede in buona parte. Ricorda che il latte materno, rispetto ad altri cibi, viene assimilato quasi interamente e quindi, a parità di quantità, è molto più nutriente di una pappa; costituisce ancora l'alimento base per il bambino, mentre gli bastano piccole quantità degli altri cibi per dargli l'integrazione necessaria.

Quando l'apprendimento al cibo è avviato

- Dopo qualche settimana tuo figlio sarà probabilmente con voi a tavola più volte al giorno, a tutti i pasti familiari. Dopo un certo periodo, che varia da un bambino all'altro (possono occorrere anche molte settimane), tuo figlio imparerà a mangiare, cioè a calmare la sua fame con quello che introduce in bocca da sé. Da questo momento in poi l'atto di nutrirsi è appreso e nel corso dei mesi si perfezionerà solamente.
- Quando ne manifesterà il desiderio dai anche a lui le posate... sebbene all'inizio si limiterà a mettere il cibo sulla forchetta con le mani. Quando sarà abbastanza abile potrà comin-

ciare a mangiare le minestrine da solo; fino a quel momento, per evitare di vedere tutte le tue fatiche sprecate, sarà più comodo dargli separatamente i liquidi nel bicchiere ed i solidi nel piatto.

- Un bambino che ha già qualche dentino può spezzare il cibo in grossi pezzetti, e questo preoccupa alcune madri. Ci sono cibi che presentano di meno questo inconveniente (vedi più avanti) e comunque bisogna ricordare che il bambino possiede dei riflessi innati che lo proteggono dal rischio di soffocare, se un pezzetto di cibo gli va per traverso. Sorvegliando tuo figlio nei primi tempi imparerai a comprendere come se la cava con il cibo solido e a regolarti su di lui.
- Nella fase di introduzione dei cibi solidi l'accrescimento del bambino può segnare una battuta di arresto. Questo può significare che il latte materno è stato sostituito, troppo in fretta, con pappe non altrettanto nutrienti e che bisogna ripensare un po' la tabella di marcia, o inserire alimenti più completi nella sua dieta.
- Come l'accrescimento di un bambino allattato al seno è diverso da quello di uno alimentato artificialmente, così è anche per i bambini "svezzati a richiesta": in questo caso è molto più difficile commettere l'errore di sovralimentare il bambino. Se tuo figlio sta bene, è vivace e cresce regolarmente in altezza, non preoccuparti se non aumenta di peso quanto dicono le tabelle. A questo riguardo l'Organizzazione Mondiale della Sanità ha fissato dei livelli MINIMI di accrescimento, per i

> ***Come l'accrescimento di un bambino allattato al seno è diverso da quello di uno alimentato artificialmente, così è anche per i bambini "svezzati a richiesta".***

bambini sani allattati al seno, che sono: almeno 500 grammi circa al mese nel primo trimestre, un minimo di 340 grammi mensili nel secondo trimestre e 200 grammi circa al mese nella seconda metà del primo anno.

Seguendo questa strategia un bambino sano, nato a termine e che poppi ancora abbastanza al seno, non avrà bisogno di vitamine, calcio, ferro od altre integrazioni per crescere bene.

GRADUALE SVEZZAMENTO DAL SENO

L'Organizzazione Mondiale della Sanità (vedere box a pag. 15) raccomanda di allattare esclusivamente il bambino al seno nei primi sei mesi di vita, e successivamente di introdurre altri alimenti, lasciando tuttavia che il latte materno sia l'alimento principale della sua dieta per tutto il primo anno di vita. Dopo il primo anno, il bambino può essere svezzato, tuttavia l'OMS ritiene ottimale che l'allattamento prosegua ancora, affiancato in misura crescente da altri cibi, per tutto il secondo anno di vita, mentre dopo il secondo anno può terminare o proseguire ancora, secondo le esigenze della mamma e del bambino.
Questo significa che idealmente, una volta che il bambino fra il primo e il secondo anno di vita si nutre abbondantemente con cibi diversi dal latte materno, puoi decidere di continuare ad allattare, se vuoi, oppure iniziare lo svezzamento. Questo in ogni caso è opportuno che sia il più possibile graduale:

- *Per il bambino*, in quanto il suo metabolismo deve abituarsi ai nuovi alimenti; inoltre l'allattamento è un aspetto importante del rapporto con la mamma, e potrebbe soffrire se fosse tolto all'improvviso;

- *Per te*, in quanto una riduzione brusca delle poppate porta a spiacevoli inconvenienti, come l'ingorgo della mammella e la perdita troppo rapida del latte, e può danneggiare il tessuto di sostegno, e quindi l'estetica, del seno.

Ci sono molti modi di svezzare un bambino allattato al seno; ogni coppia madre-figlio è diversa.

Inoltre nel primo periodo di introduzione dei cibi può essere utile avere la possibilità di tornare per una o due settimane all'alimentazione esclusiva al seno: per esempio in caso di malattia del bambino o di reazioni di intolleranza a qualche pietanza, oppure per errori ed esperienze emotivamente negative per te e per lui, da dimenticare facendo una pausa.

Ci sono molti modi di svezzare un bambino allattato al seno; ogni coppia madre-figlio è diversa e deve trovare, in base al suo equilibrio personale, il sistema che le è più congeniale. Considerando l'esperienza di molte mamme, in genere si segue una di queste tre strade:

- *svezzamento graduale durante la fine del primo anno;*
- *svezzamento graduale entro il secondo-terzo anno;*
- *svezzamento graduale oltre il terzo anno, a scelta del bambino.*

Il comportamento del bambino più grande, quando è ancora allattato, si può evolvere nel senso di uno spontaneo, crescente disinteresse del seno e quindi con un diradamento delle poppate; in questo caso sarà più facile per te svezzare gradualmente, qualora tu lo voglia; se invece vuoi mantenere una certa produzione di latte, come ad esempio nel caso in cui il bambino non abbia ancora imparato a mangiare, dovrai essere tu ad offrirgli il seno con una certa frequenza (almeno 4-5 poppate al giorno).

Altri bambini tendono a ridurre non tanto la frequenza quanto la durata delle poppate, attaccandosi al seno spesso ma per pochi momenti. In questo caso, se vuoi assecondarlo continuando ad allattare totalmente a richiesta, il bambino non ne riceverà alcun danno fisico o psicologico. Il latte materno contiene tutti i principi nutritivi e le sostanze utili anche dopo il primo anno di allattamento e dal punto di vista del bambino, la sicurezza di poter poppare quando ne sente il bisogno, non solo non ostacola, ma anzi favorisce il suo cammino verso l'autonomia.

---

[2] Adattamento ed aggiornamento dell'articolo pubblicato originalmente in Da mamma a mamma n. 62, inverno 2000

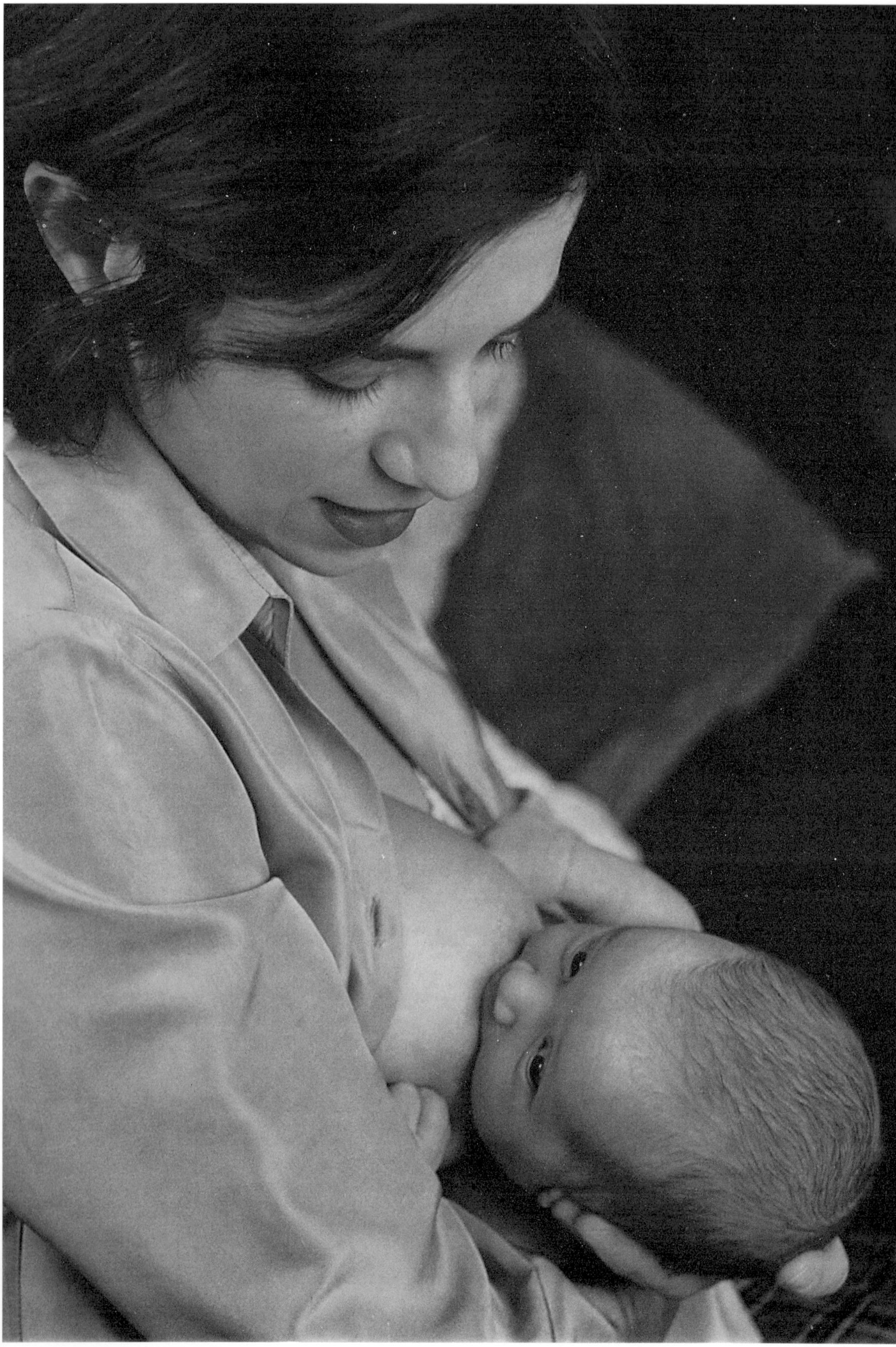

SVEZZAMENTO: Domande e risposte[3]

DI SHERA LYN PARPIA KHAN

Le domande delle mamme sui vari aspetti dello svezzamento sono frequenti e numerose. Lasciata a sé la mamma stessa si rende conto di quando il suo bambino è pronto per mangiare cibi solidi, e capisce quali cibi può offrire; tuttavia alcune informazioni di base possono essere utili per confermare l'intuito materno.

È pronto per mangiare cibi solidi?

Intorno alla metà del primo anno di vita il bambino dimostra d'essere pronto per provare ad alimentarsi con cibi diversi dal latte materno se:

- sta seduto da solo;
- riesce ad afferrare un oggetto e a metterlo in bocca;
- si interessa a ciò che vede mangiare dagli altri familiari;
- assaggia volentieri;
- deglutisce anche sostanze non liquide;
- mastica quando sente qualcosa di duro in bocca;
- è in grado di "dire no" e farsi capire.

È ora di iniziare lo svezzamento?

Il latte materno da solo è di solito sufficiente per il bambino sano e nato a termine, per almeno i primi sei mesi di vita e fornisce tutti i nutrienti di cui egli ha bisogno nelle proporzioni ottimali. Quando un bambino è allattato a richiesta, integralmente al seno, non c'è fretta di iniziare lo svezzamento; conviene aspettare i segnali del bambino che indicano che è pronto per provare direttamente i gusti che ha già conosciuto attraverso il latte materno.

Come si fa a sapere se un bambino è pronto per iniziare a mangiare qualcosa di diverso dal latte materno?

Osserva tuo figlio!
Intorno ai sei mesi avvengono alcuni cambiamenti nei bambini.
A quest'età essi rispondono più velocemente agli stimoli e hanno una migliore coordinazione occhio-mano, al punto che riescono a portare vari oggetti alla bocca. Cominciano a stare seduti e a coordinare i movimenti della lingua, delle gengive e la deglutizione per inghiottire i pezzi di cibo che si trovano in bocca. Spesso i primi denti sono già apparsi, ma anche nel caso contrario le gengive sono dure abbastanza per consentire al bambino di "masticare". La curiosità lo porta a prendere un pezzo di cibo dal piatto della mamma. Spesso questo insieme di fatti porta ad iniziare a proporre gli altri alimenti.

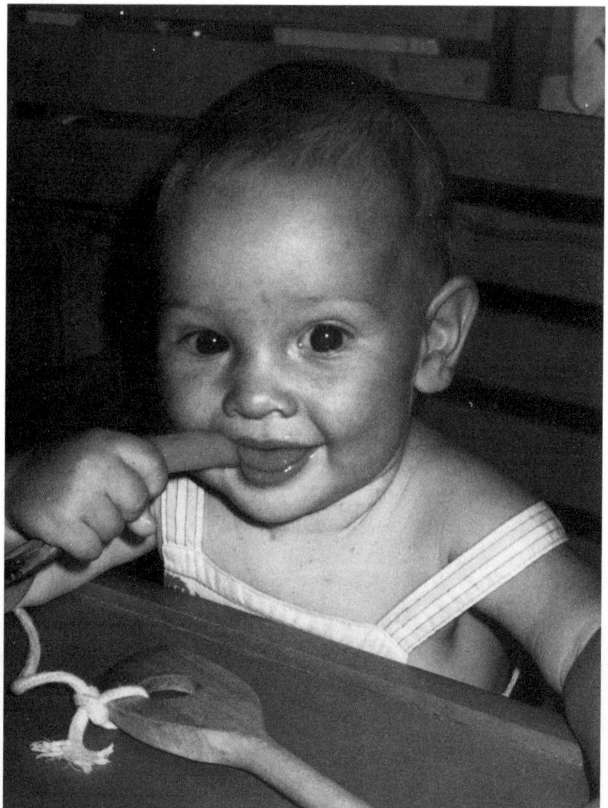

A più riprese, durante l'allattamento, si possono verificare i cosiddetti "scatti di crescita" accompagnati da una maggior richiesta di latte. Verso la metà del primo anno di vita, diversamente dagli scatti precedenti nonostante un paio di giorni di allattamento intensificato il bambino può continuare a manifestare il bisogno di poppare di più di quel-

lo che faceva prima. Questo è un altro segnale che ora egli può essere pronto per mangiare qualcos'altro.
Un altro aspetto importante è la capacità del bambino di rifiutare un cibo che non desidera. Un bambino di quest'età spesso riesce a "spiegarsi" bene e la sua mamma può capirlo.

Perché non è utile accelerare i tempi per l'introduzione dei cibi solidi?

Ci sono alcuni ottimi motivi per non affrettare troppo il momento di introduzione di altri cibi nella dieta del bambino. Sono ormai parecchie le prove che lo svezzamento, iniziato prima del compimento dei sei mesi, nella maggioranza dei casi non offre vantaggi per la crescita del bambino e anzi peggiora la qualità dell'alimentazione del bambino stesso e lo rende più vulnerabile nei confronti delle infezioni; un altro motivo per non accelerare i tempi dell'introduzione di altri alimenti, che assume sempre più importanza al giorno d'oggi, è quello di evitare le allergie. Inoltre la somministrazione di cibi solidi causa la riduzione della quantità di latte materno prodotto ed accelera la fine dell'allattamento al seno. Dare esclusivamente il seno per almeno sei mesi assicura un allattamento più lungo e quantitativamente adeguato. Appena vengono introdotti altri cibi nella dieta del bambino (anche acqua, in alcuni casi) si possono verificare dei cambiamenti significativi nell'efficacia dei meccanismi immunologici e nutrizionali, nell'amenorrea da lattazione (cioè, l'introduzione di cibi solidi spesso coincide con la ripresa dell'ovulazione e delle mestruazioni), nell'efficacia del sistema doman-

Dare esclusivamente il seno per almeno sei mesi assicura un allattamento più lungo e quantitativamente adeguato.

da-offerta, ecc., aventi come effetto il calo della produzione di latte. Ciò potrebbe costringere l'organismo ancora immaturo del bambino ad accettare un'alimentazione per la quale non è ancora pronto.

Come prevenire le allergie?

È stato notato che alcuni bambini con tendenze allergiche (che siano già evidenti o no) rifiutano qualunque tipo di cibo solido per più tempo. Non c'è motivo di preoccupazione se il tuo bambino è sano, se lo allatti sempre a richiesta e continui a proporgli cibi solidi ad intervalli regolari.

Alcuni cibi, soprattutto nel caso di bambini con tendenze allergiche, non vanno introdotti prima del compimento dell'anno; tra questi: latte vaccino e derivati (e in caso di allergia confermata o sospetta ai latticini è meglio evitare anche il parmigiano), uova (soprattutto l'albume), pomodoro, agrumi e qualunque altro cibo di cui esista il sospetto di reazioni negative.

Rifiuta i cibi solidi?

Non c'è motivo di preoccupazione se il tuo bambino è sano, lo allatti sempre a richiesta e continui a proporgli cibi solidi ad intervalli regolari.

Se una madre sa di avere precedenti di allergie in famiglia, sarà ancora più motivata ad introdurre altri alimenti gradualmente e non troppo presto, e a mantenere gli effetti protettivi del latte materno allattando.

Che cosa fare allora quando è il momento di iniziare ad offrire cibi solidi al bambino?

Quando è chiaro che il tuo bambino ha desiderio di mettere qualcosa in bocca, e sembra avere bisogno di aumentare le calorie nella dieta, è il

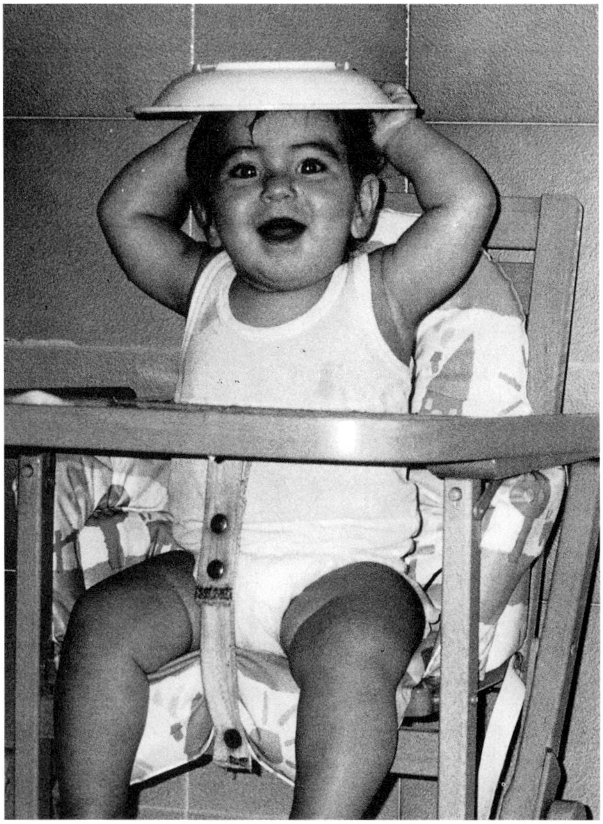

momento di provare ad offrire un cibo, semplice, digeribile, non troppo lavorato né troppo cotto, rendendolo disponibile in modo che il piccolo possa afferrarlo con le mani o con un cucchiaio. Può andare bene qualche pezzo di frutta matura (meglio se è di stagione): essa è naturalmente dolce e ricca di sali minerali, la si può anche schiacciare, grattugiare, ridurre in purea, a seconda che il bambino preferisca "sperimentarla" da solo, prendendola con le proprie mani oppure mangiarla col cucchiaio; si può proporre anche verdura fresca o cotta a vapore.

È meglio che all'inizio non siano offerti al bambino più cibi insieme ma soltanto uno alla volta, se è necessario con l'acqua di cottura. Piuttosto che "prenderlo per fame" (e sappiamo che la fame è cattiva consigliera: anche noi, quando siamo troppo affamati siamo inclini ad accettare di mangiare cose che altrimenti non mangeremmo), all'inizio è meglio offrire i cibi dopo che il bambino ha poppato al seno. È anche utile ricordarsi che il bambino di sei mesi ha un apparato digerente molto più maturo di uno di tre mesi e quindi è pronto per provare cibi abbastanza vicini a quelli consumati abitualmente dai familiari.

All'inizio piuttosto che "prenderlo per fame", è meglio offrire i cibi dopo che il bambino ha poppato al seno.

Naturalmente se ci sono problemi

di allergia in famiglia sarai più attenta a ciò che dai a tuo figlio, aumentando gradualmente le quantità e i tipi di cibo, altrimenti basterà osservare con attenzione le reazioni del bambino.

Ci sono vari approcci da cui si può scegliere quello che si adatta meglio alle vostre esigenze. Per esempio, si può cominciare così: il cibo nuovo è somministrato in quantità minima il primo giorno (circa mezzo cucchiaino, o mezzo spicchio o fetta di frutta, per esempio); il giorno seguente la quantità va aumentata (un cucchiaino), e così via (fino a uno - due cucchiai da tavola in cinque - sei giorni). Se non si notano reazioni allergiche (irritabilità, coliche, aria intestinale, eritema, irritazione nella zona del pannolino) si presume che il bambino tolleri bene quell'alimento e si inizia con un altro. Si può procedere al ritmo di un nuovo cibo introdotto alla settimana o ogni due settimane, andando avanti nella stessa maniera ma offrendo nuovamente quello precedente a intervalli regolari (ogni tre - quattro giorni).
Naturalmente in caso di reazioni negative si sospende il cibo sospetto.

Cosa offrire dopo i primi assaggi?

Ricette e consigli abbondano. Alla mamma italiana è probabile che a un certo punto venga consigliato un "brodo vegetale" fatto all'incirca di una carota, una zucchina, mezzo finocchio e una patata, bolliti in un litro d'acqua per 15 minuti, da filtrare ed offrire al bambino prima da solo, poi con l'aggiunta di pasta o farina, poi anche di parmigiano e olio d'oliva; infine il brodo è impiegato come liquido a cui aggiungere

> ***In tutto il mondo i bambini succhiano il latte della mamma e poi iniziano con gradualità a mangiare ciò che gli adulti intorno a loro mangiano.***

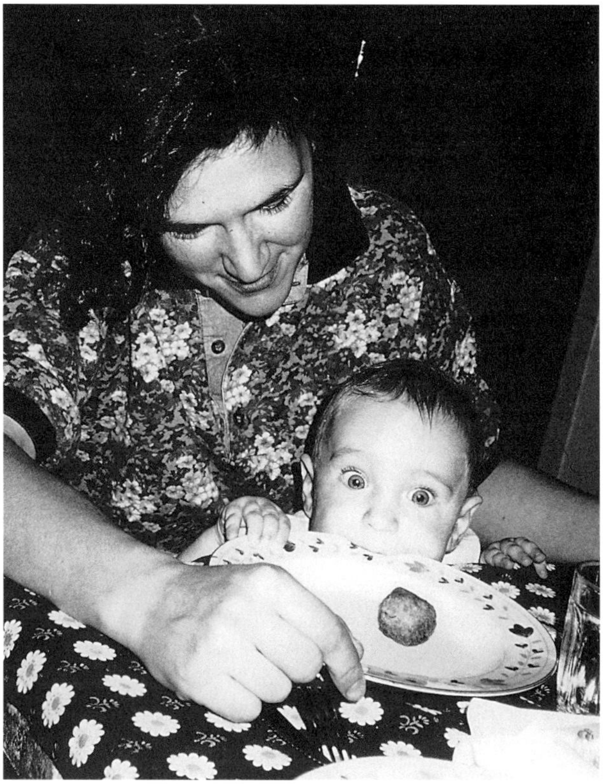

altri alimenti omogeneizzati da offrire al bambino.

Per certi bambini questo è un approccio che funziona. Con poche variazioni sulla tabella del pediatra, nell'ordine e con i tempi prestabiliti, essi accettano i cibi proposti e tutto va bene. Ma ci sono tanti altri bambini che non accettano altrettanto facilmente questi ritmi, sapori e consistenze, che cosa fare allora? È necessario che rispettino questo ordine e questa scelta di cibi o c'è un altro modo di procedere?

In tutto il mondo i bambini succhiano il latte della mamma e poi iniziano con gradualità (rispetto alle quantità e ai tipi di cibo) a mangiare ciò che gli adulti intorno a loro mangiano. Segue quindi che ciò che mangiano è fortemente influenzato dalla dieta prevalente nella società intorno a loro. Nemmeno i bambini italiani hanno sempre mangiato nel modo in cui mangiano al giorno d'oggi. È chiaro quindi che le possibilità di variare sono tante. Quasi sempre per iniziare si scelgono cibi che siano:

- non molto duri,
- con pezzi non troppo grossi,
- con valore calorico medio basso,
- vegetali o cereali (solitamente non carni),
- considerati facilmente digeribili,
- quelli che solitamente non provocano reazioni allergiche,

- quelli consumati comunemente e in grande quantità nella dieta tradizionale,
- cibi considerati di buon sapore,
- di sapore abbastanza delicato (non troppo saporiti, né troppo speziati o salati).

Viene anche considerato importante che il cibo proposto sia almeno all'inizio morbido e non troppo asciutto; la mamma un tempo otteneva questo pre-masticandolo. Tale prassi viene seguita ancora in molte parti del mondo, ma lo stesso effetto può essere ottenuto con un passaverdura o un frullatore o anche con una forchetta, aggiungendo un liquido come acqua, brodo vegetale o latte materno. Se il cibo è morbido basterà schiacciarlo tra le dita o permettere al bambino di farlo.

Naturalmente i cibi scelti variano da cultura a cultura: per esempio dove il riso forma la base dell'alimentazione degli adulti al bambino viene facilmente dato riso da mangiare in qualche forma, magari stracotto. Laddove invece le patate formano la base dell'alimentazione è normale che il bambino inizi presto a mangiare le patate bollite e schiacciate. In una cultura dove le minestre sono importanti, come per molti italiani, è assolutamente normale che venga dato al bambino il brodo con le verdure, seguito a poca distanza da una versione "baby" di pasta. Cibi ritenuti addirittura indigesti in alcune culture, sono proposti in altri paesi a bambini alle prese con i primi cibi solidi. Per esempio le lenticchie cotte vengono offerte ai bambini indiani e il grasso di foca ai bambini eschimesi. L'idea di far mangiare

A proposito di sostituire la poppata....

Nella nostra cultura molte mamme si aspettano che il bambino, prima o poi, sostituisca una poppata di latte materno con una pappa; con lo svezzamento naturale però questo non avviene quasi mai: piuttosto il bambino aumenta gradualmente la quantità di cibo solido che consuma e il latte della madre diminuisce in modo ugualmente graduale.

al bambino il formaggio parmigiano farebbe inorridire popoli che non hanno l'abitudine di usare formaggi; ma tutto ciò dipende dalla cultura di base, non sempre riguarda i gusti o le esigenze del bambino, che infatti si adatta a ciò che trova intorno a lui.

È ampiamente riconosciuto che un apporto eccessivo di proteine nelle diete dei bambini piccoli può essere dannoso, perciò è bene non eccedere con carni e formaggi nei primi mesi.

Inoltre l'aumento di reazioni allergiche, in particolare al latte vaccino (dovuto alla sua larga diffusione), ci spinge a riconsiderare l'uso di cibi tradizionalmente introdotti abbastanza precocemente, come il formaggio parmigiano, e a rimandare nel tempo il suo uso nella dieta dei bambini.

E se la dieta dei genitori non è adatta al bambino?

Il momento dello svezzamento di tuo figlio fornisce un'ottima occasione per migliorare le abitudini alimentari di tutta la famiglia. Se la dieta familiare è naturale, semplice, con poco sale, pochi zuccheri aggiunti e pochi cibi fritti, puoi permettere al tuo bambino di "partecipare" pienamente, senza preoccuparti troppo di ciò che prenderà. Se hai avuto in passato problemi di intolleranza ad un cibo può essere il momento giusto per escluderlo completamente. Se non sei mai stata una grande amante delle verdure, puoi sperimentare modi nuovi di cucinarle ed integrarle nella tua dieta. Puoi anche sfruttare questo momento per trovare cibi senza additivi e prodotti senza l'uso di pesticidi.

Il momento dello svezzamento di tuo figlio fornisce un'ottima occasione per migliorare le abitudini alimentari di tutta la famiglia.

Se durante la gravidanza e l'allattamento hai seguito una dieta varia senza evitare cibi particolari, il tuo bambino avrà già assaggiato tanti sapori tramite il liquido amniotico ed il tuo latte, così è probabile che accetterà le novità con entusiasmo.

Spesso è possibile fare degli adattamenti semplici ai tuoi piatti, o preparare a parte degli alimenti adatti per tuo figlio. Per esempio puoi ridurre l'apporto di sale ed aggiungerlo eventualmente in tavola, o mettere da parte un po' di pastasciutta senza condirla, oppure preparare per te almeno un piatto che può essere mangiato da tuo figlio.

Riassumendo, in linea di massima, i primi cibi possono essere frutta e verdura di stagione (seguendo sempre anche le indicazioni del bambino), introducendo gradualmente altri alimenti che fanno parte della tua dieta abituale. I cibi che consideri sani per te stessa solitamente lo sono anche per i tuoi figli.

Bisogna seguire un orario fisso per le pappe?

Questo dipende da te, dal tuo bambino e dagli altri membri della famiglia. Forse è più comodo proporgli qualcosa quando siete tutti a tavola, in modo che lui si senta pienamente partecipe delle attività della famiglia; o forse preferisci dedicarti completamente a tuo figlio scegliendo un orario in cui sei più libera, magari subito dopo la poppata, intorno alle dieci o alle undici della mattina. Può essere anche un momento speciale per il papà, dopo il suo ritorno a casa, poco prima della cena. Alcune mamme hanno trovato che per loro può essere più comodo (ed è importante anche questo!), dare un po' di struttura alla giornata e stabilire un orario più o meno elastico in cui si siedono a mangiare. In ogni caso, il nostro obiettivo non è quello di inserire il bambino in un sistema alimentare rigido. Può essere utile ascoltarlo e cercare di capire quale momento per lui è migliore. Non è essenziale mantenere un orario rigido; si può fargli capire che può continuare a poppare a domanda, quando ha fame. Noi adulti, se abbiamo fame fuori orario, possiamo prendere una brioche, un cappuccino, aprire il frigo, ma il bambino che cosa può fare?

Il nostro obiettivo non è quello di inserire il bambino in un sistema alimentare rigido.

Sono necessari pentole e piatti speciali?

L'introduzione dei cibi solidi dovrebbe essere un'esperienza rilassata per madre e bambino, senza limiti di tempo né quantità imposte. In genere tutto l'occorrente – sia il cibo sia i piccoli elettrodomestici – è già presente in casa. Il bambino che inizia lo svezzamento quando è veramente pronto non ha generalmente bisogno di pappe frullate ed omogeneizzate, va bene qualcosa che la famiglia già mangia e, se è necessario un adattamento, è solitamente semplice e veloce. Soprattutto all'inizio, quando il bambino consuma quantitativi estremamente ridotti, una preparazione elaborata e lunga non serve. Trovarsi di fronte ad un bambino che sputa la pappa nutriente che hai impiegato ore a preparare può essere frustrante!

Soprattutto all'inizio, quando il bambino consuma quantitativi estremamente ridotti, una preparazione elaborata e lunga non serve.

Non vietare al bambino il piacere di tenere in mano il cibo, se lo preferisce: l'uso delle posate lo potrai insegnare con calma più tardi (e sicuramente vorrà imitarvi se sta seduto a tavola mentre mangiate).

Alcune mamme trovano utili piatti che si fissano al tavolino e posate speciali, tuttavia non sono indispensabili, poiché un piatto e un bicchiere semplici ed infrangibili possono bastare. Alcune madri trovano pratico il bicchierino con beccuccio o con una cannuccia, ma in ogni caso è meglio mettere poco liquido nel bicchiere.

Le pappine sono indispensabili?

Se tuo figlio comincia a mangiare cibi solidi a tre mesi avrà probabilmente bisogno di creme o pappe pronte. Ma se aspetti che sia veramente in grado di mangiare cibi solidi potrai adattare senza molto tempo o fatica quello che mangiano gli altri, in modo da rendere il bambino quasi subito "parte della famiglia" all'ora di pranzo. Che cosa facevano i nostri antenati in mancanza degli omogeneizzati? Prendevano quello che c'era già in tavola, magari facendolo cuocere di più, magari tritando o schiacciando il cibo. In pratica questo funziona bene se mangi già in modo sano, non troppo salato o troppo grasso (per tutto il primo anno, se desideri, puoi anche fare a meno di usare il sale). All'inizio puoi cercare di preparare ad ogni pasto un alimento che si presta per lo svezzamento: carote cotte, spinaci lessati, minestra di lenticchie (decorticate), ecc., naturalmente introducendo non più di un cibo nuovo alla settimana.

Se aspetti che sia veramente in grado di mangiare cibi solidi potrai adattare senza molto tempo o fatica quello che mangiano gli altri.

Il bambino allattato al seno (essendo abituato ai vari gusti che ha conosciuto tramite il latte materno) spesso mangia di buon grado cibi non dolci. Molti bambini mangiano molto volentieri il pane, mordicchiandolo con piacere.

Gli omogeneizzati, le pappine e le creme che si trovano in commercio risultano comode in alcune occasioni, ma in verità non sono indispensabili.

Inoltre spesso costano moltissimo; se fai un paragone tra il cibo contenuto nel vasetto e quello fresco ti renderai presto conto che puoi dare qualcosa di molto più sano a tuo figlio senza spendere tanto.

La carne è parte essenziale della dieta del bambino durante lo svezzamento?

Lo svezzamento del bambino solitamente inizia con l'introduzione di frutta e verdura. La carne potrebbe essere introdotta in seguito, se lo desideri o se ti sembra necessario ma anche più tardi. È diffusa la nozione che le diete prive di carne e pesce siano carenti principalmente in tre fattori nutrizionali: Vitamina B12, ferro e zinco.

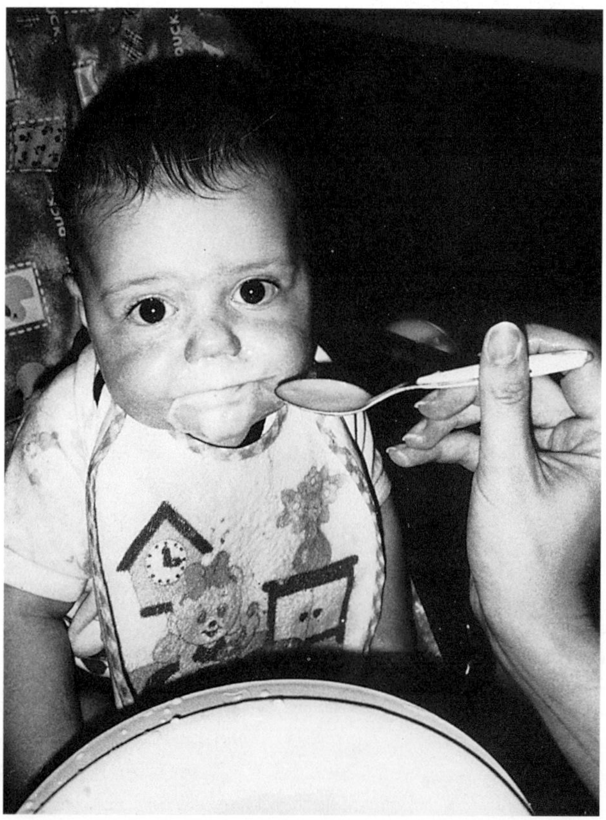

Ricordiamoci però che in molti paesi del mondo la carne e il pesce sono consumati solo occasionalmente e in alcuni mai. Come si fa in queste situazioni ad assicurarsi un apporto adeguato?

La vitamina B12 è presente in quantità significativa solo in prodotti di derivazione animale ed è indispensabile per assicurarci un'alimentazione completa. Finché la dieta della madre che allatta è equilibrata e completa (e quindi contiene questa vitamina in quantità adeguata) il bambino, sano e nato a

termine, che riceve latte materno in misura significativa, non corre rischi di carenze di questo elemento. Nel caso di adulti che non mangiano né carne né pesce, il consumo di vitamina B12 è assicurato, solitamente, dal consumo di alimenti di derivazione animale come latte, latticini e uova. Negli ultimi anni si è diffusa la convinzione che alcuni alimenti fermentati, come lieviti, miso, ecc., contengano la vitamina B12; si è però poi visto che contengono sostanze analoghe, ma non utilizzabili dal nostro organismo.
Recentemente è stata sollevata anche la questione della carenza di ferro e di zinco nella dieta delle persone che non consumano carne. Questi due elementi, abbondanti nella carne e nel pesce, sono anche presenti in molti cibi vegetali; naturalmente il livello varia da cibo a cibo e anche dal fatto che sia stato raffinato o no; anche gli abbinamenti possono rendere questi elementi più o meno facilmente assimilabili.
In ogni caso, se dovesse risultare che la quantità

consumata sia troppo bassa in una dieta vegetariana, la madre e, dopo l'inizio dello svezzamento, anche il bambino devono modificarla oppure assumere integratori, in maniera da assicurare la presenza di questi elementi. Questi accorgimenti sono particolarmente importanti nelle diete vegan (senza prodotti di derivazione animale) o in alcune diete macrobiotiche che si limitano per la maggior parte al consumo di cereali integrali.

La maggior parte delle persone che seguono un'alimentazione vegetariana sono molto ben informate su come assicurarsi una dieta completa ed equilibrata. Tuttavia, quando la dieta è molto ricca in fibre alimentari, è bene anche sapere che i bambini piccoli potrebbero avere bisogno di accorgimenti particolari per assicurarsi le calorie necessarie, poiché per assumere un numero di calorie a sufficienza devono consumare una quantità di cibo che potrebbe risultare difficile con lo stomaco piccolo.

Sono sempre necessarie così tante cautele?

Dall'introduzione del succo di agrumi a due mesi e della carne a quattro mesi, consigliata da molti pediatri alcuni anni fa, siamo adesso arrivati a una lunga serie di divieti, per esempio il "divieto assoluto" di dare al bambino latte e latticini, uova, pomodori e prodotti contenenti glutine prima del compimento del primo anno di vita. Certo è importante procedere con cautela quando un bambino ha una familiarità allergica, ed è comunque meglio non introdurre questi cibi all'inizio dello svezzamento, ma non preoccuparti se il bambino comincia a mangiarli senza problemi. Per esempio, se ti capita di dare un assaggino della tua pastasciutta con salsa di pomodoro, per la prima volta, al bambino di nove mesi, che ha già provato altri cibi senza problemi, controlla semplicemente il suo sederino quando gli cambi il pannolino, notando il suo comportamento nelle 24 ore che seguono; se non reagisce male puoi proporgliela ancora ogni tanto. Se ti rendi conto che il bambino è irrequieto, la causa può essere qualcosa che ha mangiato nelle 24 ore precedenti, ma il bambino potrebbe anche essere semplicemente stanco o disturbato dalla dentizione.
Come abbiamo già detto le uniche regole sono quelle del buonsenso. È importante curare i nostri figli con amore e attenzione, ma è utile ricordarci che la maggior parte dei bambini non ha problemi se non quelli che noi creiamo con le nostre paure di sbagliare.

Quanto tempo deve durare il processo del distacco definitivo dal seno?

Anche durante il secondo anno di vita il latte è sempre una fonte valida di nutrimento. Ogni coppia madre-bambino è particolare. Poiché nell'allattamento sono coinvolti molti aspetti, non solo quello del nutrimento, anche quando questo bisogno può essere soddisfatto in altri modi non è necessario interrompere l'allattamento, rinunciando agli altri vantaggi. Ricordiamoci anche che durante il secondo anno di vita il latte è sempre una fonte valida di nutrimento. Nella scelta di continuare ad allattare la disponibilità della madre dipende da vari fattori, tra i quali anche l'atteggiamento delle persone intorno a lei, che possono sostenerla oppure premere più dei bisogni del bambino. Lo svezzamento dovrebbe essere un processo dolce, graduale e lento; così né madre né bambino subiranno il trauma di un'interruzione brusca: un bambino che sente di essere amato, ascoltato e compreso, acquisisce sicurezza e affronta le novità più volentieri.

Anche durante il secondo anno di vita il latte è sempre una fonte valida di nutrimento.

Lo svezzamento è già avvenuto.... o no?

Molte madri che hanno allattato a richiesta e che hanno lasciato al bambino l'iniziativa del distacco definitivo dal seno, non si rendono nemmeno conto di quando precisamente questo sia avvenuto; altre incoraggiano il distacco dal seno in modo graduale e amorevole.
Il bambino ha sempre bisogno di genitori che lo guidino con amore e che capiscano che è un

individuo capace di esprimere i suoi bisogni: il figlio, sapendo che i genitori sono pronti ad ascoltare ciò che ha da dire e a prendere amorevolmente in considerazione le sue richieste, sente che può fidarsi di loro. Per questo crediamo che uno svezzamento che tenga in considerazione le esigenze del bambino sia un ottimo modo di impostare il rapporto tra figli e genitori.

Ci sono molti modi per svezzare, non esiste un'unica ricetta o un programma di svezzamento che vada bene per tutti i bambini. Il tuo bambino è unico e tu lo conosci meglio di chiunque altro: ascoltalo e agisci di conseguenza!

---

[3] Adattamento ed aggiornamento degli articoli pubblicati originalmente in *Da mamma a mamma* n. 35, primavera 1994 e *Da mamma a mamma* 62, inverno 2000.

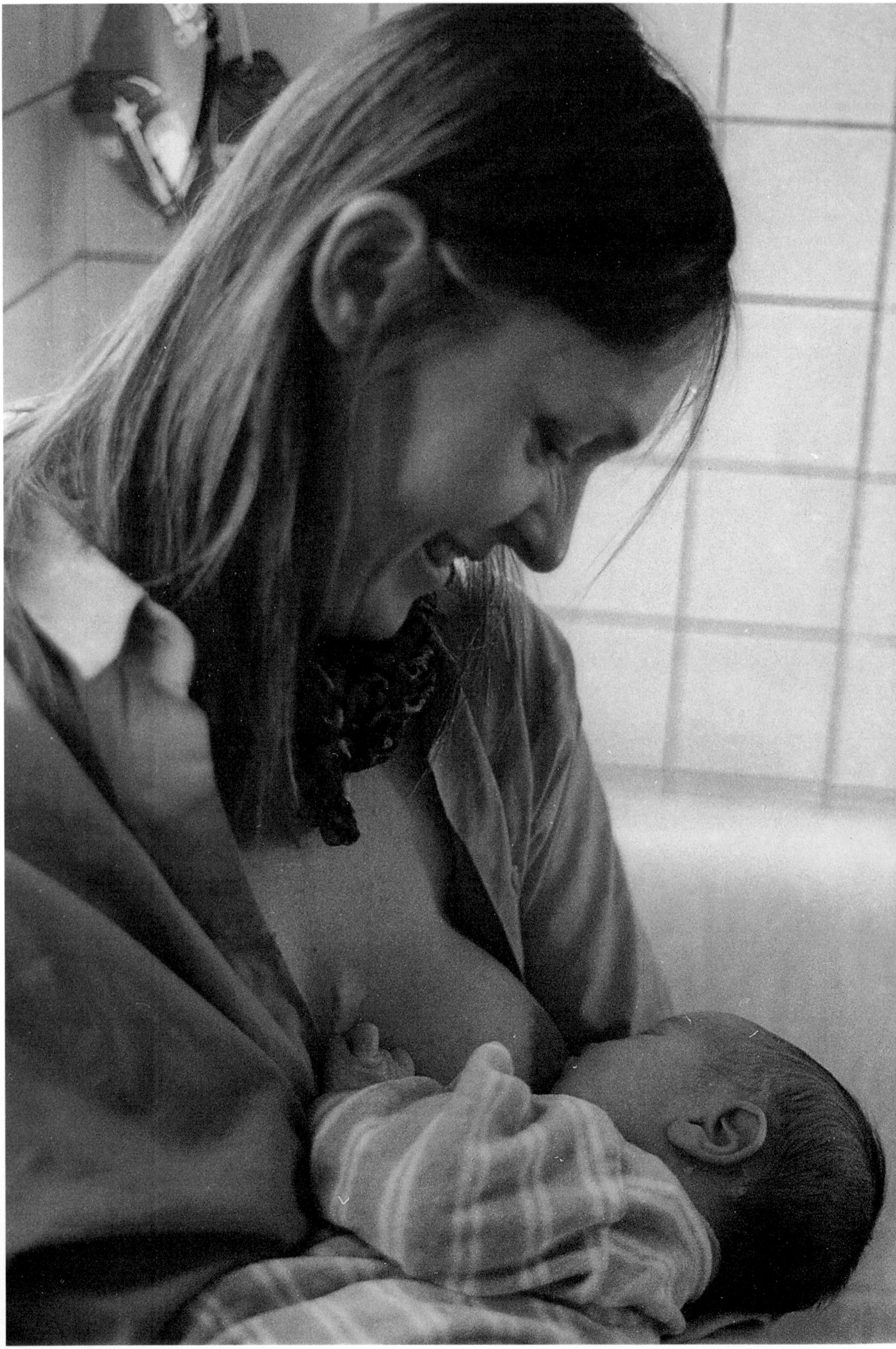

I PRIMI CIBI

Adattato da Shera Lyn Parpia e Antonella Sagone dall'opuscolo 105 GB "Il primo cibo solido per il vostro bambino"

Introduzione di Francesca Vitale

Leggendo questo opuscolo dall'inizio avrai compreso che l'inserimento di nuovi alimenti nella dieta di un lattante procede secondo una sequenza che è diversa nei tempi e nelle fasi per ciascun bambino. Ricorda che la tabella che segue NON è un "ricettario" da seguire passo per passo: si propone soltanto di *suggerire* un possibile percorso molto orientativo ed assolutamente adattabile per l'introduzione dei cibi nella dieta di un bambino. Desideriamo ricordare che un cibo può essere cucinato e offerto al bambino in molti modi differenti (crudo, cotto, molto cotto, frullato, ridotto in purea, macinato, schiaccia-

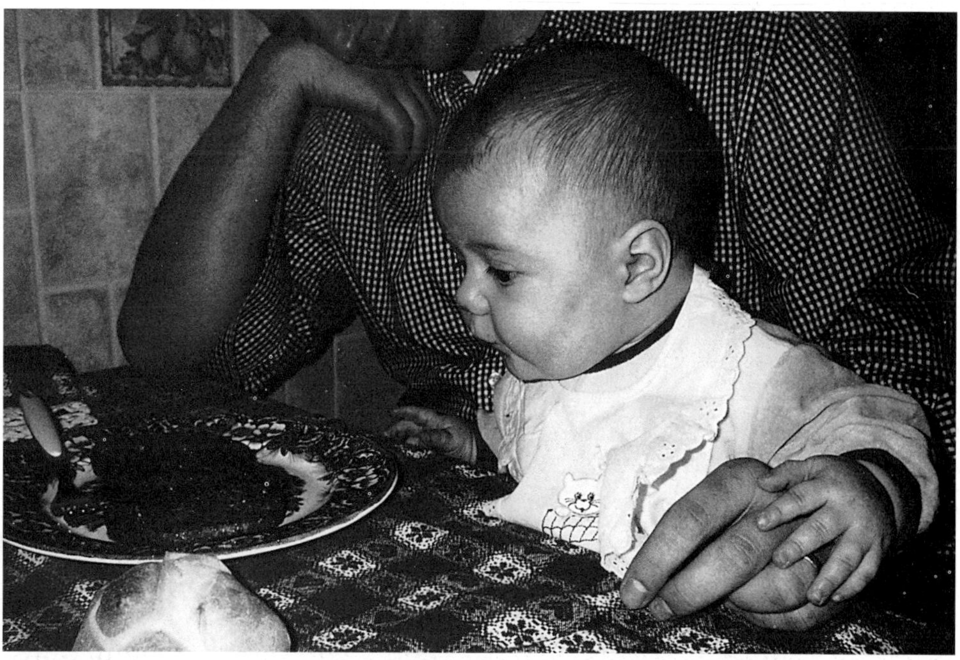

to, a piccoli pezzi, intero, mescolato ad altri alimenti) e che la maniera con la quale lo proponi può essere più o meno appropriata per tuo figlio. Non è possibile sapere in anticipo esattamente a quanti mesi sarà pronto per una particolare situazione. Anche l'ordine degli alimenti è indicativo e non è necessario attenervisi strettamente (per esempio, se non gradisce la frutta fresca puoi provare ad offrirgli le zucchine cotte o cominciare con un'altra verdura di stagione). Pertanto è sottinteso che tu, conoscendo bene il tuo bambino e le sue esigenze, tenendo conto dei suoi gusti e delle sue preferenze, osservando quotidianamente i progressi delle sue capacità (di masticazione e di deglutizione) nonché le eventuali reazioni allergiche, potrai adattare a tuo figlio le informazioni riportate qui di seguito. **Sono inoltre contrassegnati con con un asterisco (*) i cibi che più facilmente provocano intolleranze ed allergie**; quindi, nel caso in cui vi siano problemi di allergia in famiglia, è bene prestare attenzione speciale all'introduzione di questi cibi che, se necessario, potrà essere ritardata ulteriormente, per poi offrirne uno alla volta. Ciò non significa però che tutte le persone li devono evitare come prassi.

Vigila, infine, sugli indici della qualità di un alimento, che sono l'integrità, il grado di maturazione, la freschezza, la biologicità, la qualità della conservazione e la varietà.

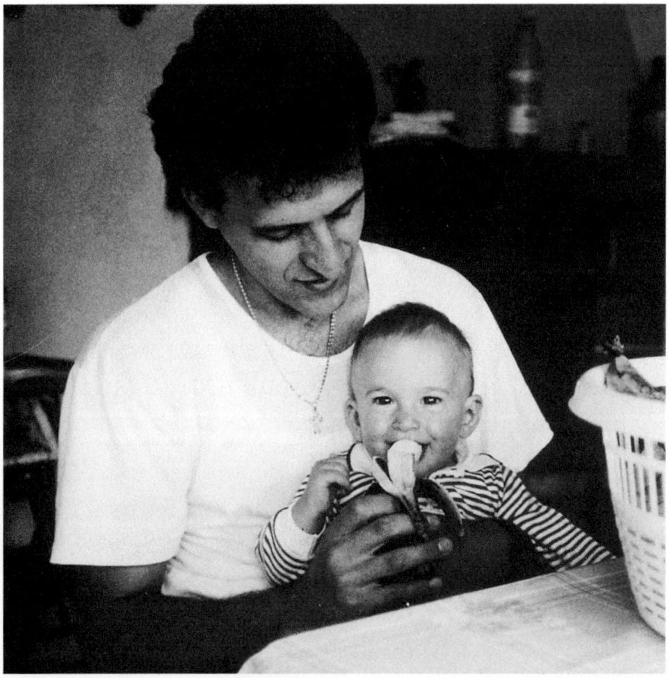

Alcuni cibi buoni per iniziare - una tabella <u>molto</u> orientativa:

CIBO	COME SERVIRE	NOTE
Frutta fresca:		Tutta la frutta contiene vitamine e minerali. Può essere offerta molto matura.
mela	Sbucciata e grattugiata o raschiata con un cucchiaio o	
mela, pera, pesca, albicocca, susina, melone, nespola, cachi	un pezzo di frutta sbucciata da tenere in mano o pezzi di frutta congelati.	Ottimi per la dentizione.
banana matura	Schiacciata, o un pezzo da tenere in mano.	Sapore e consistenza gradevole, molto nutriente. Però è un frutto di importazione, spesso coltivato con molti fitofarmaci.
Ortaggi: patata, carota, zucca, zucchina, finocchi	Cotti al vapore o al forno. Schiacciare piccole quantità con acqua di cottura o latte materno.	I bambini ne amano il gusto e la consistenza. Nutrienti, ricchi di vitamine.
patata dolce (o patata americana)	Cotta intera al forno o a pezzi al vapore e schiacciata con la forchetta.	Disponibile sempre più facilmente nei negozi di alimentari.
Legumi: lenticchie decorticate	Non c'è bisogno di metterle a bagno. Far cuocere a fuoco lento per 25 minuti circa, fino a ridurre in crema.	Buona fonte di proteine e di ferro.

CIBO	COME SERVIRE	NOTE
Carne: pollo, coniglio	Piccole fettine di carne cotta in poca acqua e bagnata con il sugo di cottura. *Più avanti* offrire una coscia di pollo con un po' di carne (ma senza l'ossicino appuntito e sottile).	La carne non è più essenziale per un bambino di quanto lo sia per un adulto. Gradita da alcuni bambini durante la dentizione.
altre carni		Possono essere meno tenere o più grasse.

Più avanti:

CIBO	COME SERVIRE	NOTE
Altra frutta matura: fragole, ciliegie, frutti di bosco, uva, ecc.	Togliere i semi e la buccia quando occorre.	Dopo i nove mesi (possono causare reazioni istaminiche, con arrossamenti cutanei).
Agrumi e altra frutta acida:* arance, mandarini, limoni, fragole, kiwi	Spremuti oppure sbucciati, privati dei semi, tagliati.	Ricchi di vitamina C. È la frutta che più spesso causa reazioni allergiche.
Frutta secca: uva passa, albicocche, fichi secchi, ecc.	Lavarla prima di offrirla al bambino.	Il contenuto di minerali è alto, ma si attaccano ai denti e causano carie. Lavare bene i denti dopo il consumo.
Semi oleosi: noci, nocciole, mandorle, arachidi*, ecc.	*Non dovrebbero mai essere dati interi o a pezzetti ai bambini piccoli. Evitare specialmente le arachidi, poiché i pezzi sono molto pericolosi quando inalati. Vedere "spalmabili" più avanti.*	

I primi cibi: tabella orientativa

CIBO	COME SERVIRE	NOTE
Verdure crude: carote, finocchi, cetrioli, pomodori, lattuga, ecc. *Verdure cotte:* bieta, spinaci, cipolle, cardi, broccoli, cavoli, funghi, piselli freschi, fagiolini, ecc.	Possono essere offerte al bambino crude, tagliate a piccoli pezzi o grattugiate finemente. Cucinate al vapore, tagliate o schiacciate.	Ricche in vitamine; quelle a foglia verde ricche anche di ferro, cavoli e broccoli di calcio.
Odori: aglio, sedano, erbette	Cotti insieme alle altre verdure per insaporirle.	I bambini gradiscono i sapori variati e decisi offerti dalle erbe aromatiche.
Fare attenzione quando si danno verdure crude a bambini sotto l'anno di età, per il pericolo di soffocamenti. Quando il bambino sta facendo i suoi esperimenti con il cibo deve essere sempre presente un adulto.		
Legumi a cottura rapida: lenticchie piselli secchi spezzati	Non c'è bisogno di metterli a bagno. Cuocere a fuoco lento per mezz'ora-40 minuti circa. Cuocere lentamente fino a ridurli in crema.	Buona fonte di proteine. Possono essere fatte germogliare prima della cottura (tempi di cottura inferiori). Richiedono un po' più di tempo di cottura delle lenticchie decorticate.
Legumi a cottura lenta: fave*, azuki, cannellini, borlotti, soia verde ceci, soia gialla*, cicerchie, ecc.	Lasciarli a bagno la sera e cuocerli il giorno dopo. I legumi qui elencati sono in ordine progressivo di tempo di cottura. Si possono germogliare prima di cuocerli (tempi di cottura inferiori). La pentola a pressione diminuisce il tempo di 2/3.	I legumi vanno risciacquati e poi cotti molto bene. Aspettare ancora un po' per introdurre la soia gialla*.

CIBO	COME SERVIRE	NOTE
Pane: bianco o integrale	Il bambino può tenerne in mano un pezzo secco o tostato.	Un comodo spuntino. Meglio delle fette biscottate, che potrebbero contenere uova, latte, dolcificanti, ecc.
pizza, pani speciali		Possono contenere latte, strutto, ecc.
Cereali: mondati o perlati anche varietà esotiche come la quinoa o il kamut, ecc.	Far cuocere nell'acqua senza aggiunta di zucchero o altri dolcificanti, sale o latte vaccino.	Più nutrienti dei cereali commerciali e più economici; di facile utilizzo; piacciono molto ai bambini.
integrali	Con moderazione.	Possono ridurre l'assorbimento di calcio o ferro.
Pasta: bianca o integrale	Cotta in acqua o brodo di verdura	
all'uovo		Vedere più avanti le osservazioni sulle uova.
Farine di cereali: singole o in miscele (frumento, miglio, riso, avena, ecc.)	Cuocere in acqua o aggiungere alle minestre.	Ricavate da fiocchi di cereali macinati. Di rapida cottura. Piacciono molto ai bambini; ce ne sono anche integrali e di biologiche. Alcune miscele contengono anche farina di legumi (sono più proteiche).
*Uova**	Solo il tuorlo di un uovo appena sodo, schiacciato con un po' di acqua. *Più avanti* un uovo strapazzato, o aggiunto ai cereali cotti.	Il bianco d'uovo è una delle cause più frequenti di allergia alimentare. Evitare di cuocere il rosso troppo a lungo.

I primi cibi: tabella orientativa

CIBO	COME SERVIRE	NOTE
Pesce	Cotto al vapore o al forno, spinato, schiacciato con la forchetta o a polpettine.	Buona fonte di grassi insaturi. Attenzione alla provenienza: tendono ad accumulare metalli pesanti.
*Yogurt e fiocchi di latte**	Si può aggiungere frutta fresca o cotta allo yogurt naturale.	Evitare aromi, coloranti e dolcificanti sia artificiali che "naturali".
Formaggi:* freschi e/o a pasta filata* (mozzarella, cacio, scamorza)	A piccoli pezzetti.	Scegliere quelli senza conservanti.
stagionati	A scaglie, grattugiati, ecc.	Il parmigiano è più digeribile di altri stagionati (contiene enzimi).
grassi (taleggio, mascarpone, brie, gorgonzola, ecc.)		Evitare per tutto il primo anno di vita.
di pecora e di capra		Un'alternativa in caso di intolleranza o allergia ai formaggi vaccini.
formaggi fusi (formaggini)	*Da evitare: sono derivati dalla fusione e miscelazione di altri formaggi e prodotti secondari dell'industria casearia. È difficile conoscerne la composizione e spesso contengono conservanti.*	
Bevande: acqua corrente	Una piccola quantità in un bicchiere infrangibile.	Quando il bambino vuole bere ai pasti.
acque minerali	Non ci sono acque più adatte ai bambini che agli adulti.	Rispetto all'acqua corrente, in genere sono qualitativamente inferiori; nella bottiglia c'è possibilità di proliferazione batterica.

CIBO	COME SERVIRE	NOTE
succhi di frutta e verdura puri e non dolcificati	Con moderazione. Il frutto fresco e intero è sempre preferibile a un succo.	Leggere attentamente le etichette per evitare dolcificanti (compresi zuccheri), coloranti e conservanti aggiunti.
Latti:	Non sono una componente indispensabile della colazione; i nutrienti dei latti si possono ottenere in molti modi.	Dopo l'anno, se si vuole. Nessun tipo di latte è più vicino degli altri a quello materno; sono tutti dissimili fra loro, e hanno carenze o eccesso in certi nutrienti.
latti animali (latte vaccino*, di capra, di asina ecc.)		Gli altri latti animali non sono più leggeri o più magri del latte vaccino.
"latti" vegetali (di soia*, di riso, di mandorla ecc.)		Non sono equivalenti ai latti animali e sono diversi gli uni dagli altri. Quello di soia è più proteico.
I latti animali sono una delle fonti più comuni di allergie. Un bambino che ottiene una buona quantità di latte dalla madre non necessita di latte di altre specie nella dieta. Notare che la maggior parte dei latti artificiali deriva dal latte vaccino.		
Spalmabili: burro di arachidi*, di noci, di mandorle, di nocciole o di semi di sesamo (tahini)	Spalmati su un cracker o su un pezzo di pane (il bambino potrebbe soffocarsi se lo mangia direttamente dal cucchiaio).	Buona fonte di proteine e calcio.
Condimenti: olio extravergine di oliva spremuto a freddo	Con moderazione. Un po' di olio può essere aggiunto a crudo ai cereali cotti o alle lenticchie cotte.	Ricco di acidi grassi insaturi.
burro	Solo a crudo.	È costituito da grassi saturi.

LETTERE DI MAMME

Introduzione di FRANCESCA VITALE

Proponiamo qui le esperienze sullo svezzamento di quattro bambini, raccontate dalle loro madri. Puoi leggere molte altre testimonianze sul numero 69 del bollettino "Da Mamma a Mamma".

La prima storia, di Diego, mostra la naturalezza dello svezzamento a misura di bambino.

La seconda esperienza, di Omar, rappresenta le difficoltà, sia alimentari sia psicologiche, che una madre ed il suo bambino incontrano con uno svezzamento forzato, voluto più da chi sta intorno alla madre, in questo caso dal pediatra, che dalla madre stessa.

La terza storia, di Alessandro e la quarta, di Kyle, spiegano situazioni limite. I bambini precoci, pronti ai cibi solidi prima dei sei mesi, e quelli allergici, il cui divezzamento si protrae per molti mesi, sono pochi. Queste testimonianze rappresentano una minoranza, le riportiamo per aiutarti a comprendere che i segnali di maturazione, in entrambe le situazioni, sono inequivocabili e che anche e soprattutto in questi casi è il bambino a guidare.

Diego: lo svezzamento naturale

Volevo parlare del mio piccolo Diego, che fra pochi giorni compirà 11 mesi, di come ha cominciato ad assaggiare alimenti diversi dal mio latte. Dopo aver compiuto i 6 mesi ho provato a fargli assaggiare la banana schiacciata subito dopo la poppata delle 12, quando anche noi sedevamo a tavola, e gli è piaciuta molto, dato che a volte ne

voleva anche una intera (piccola). Poi quando era l'ora della "nostra" cena anche lui stava a tavola con noi e si ciucciava dei pezzi di pane su cui avevo strofinato del pomodoro maturo. Tutto questo sino alla sera in cui, verso gli 8 mesi, dopo aver poppato abbondantemente ha "notato" il passato di verdura che c'era nei nostri piatti ed ha cominciato a sbracciarsi e a gridare "AAMM, AAMM!!". Cosa dovevo fare? Avrei voluto continuare a dargli solo il mio latte sino all'autunno, ma Diego aveva ribaltato i miei piani decidendo diversamente. Gliel'ho fatto assaggiare, consolandomi pensando che era successo in un momento in cui l'orto ci offriva tante verdure fresche e buone non trattate, che forse ad ottobre non ci sarebbero state più, e ridendo fra me delle parole che il pediatra mi aveva detto (e che io avevo ignorato!!) quando Diego aveva solo 4 mesi: "Cominciamo con il brodo vegetale: carota e patata". Altro che!! Nel passato c'erano persino le bietole e le cipolle, ma come lo mangiava di gusto! Insomma avevamo saltato a piè pari tutti gli alimenti dietetici per l'infanzia che si comprano in farmacia (pappe, farine, omogeneizzati e pastine varie!!).
Dopo poche settimane l'orto ci ha regalato pomodori bellissimi e polposi ed io ho provato ad offrire a Diego la prima pastasciutta (sempre dopo aver poppato). L'unica regola da allora è che non ci sono regole: cioè è lui a decidere se e quanto mangiare sia a pranzo che a cena, ma di solito non si fa pregare e dopo ogni cucchiaio batte felice le manine. Se a volte si rifiuta e provo ad insistere solo un pochino, persino mio marito mi sgrida e mi dice: "ma non hai visto quanto ha ciucciato prima?!?".

Adriana Anfossi, Dolceacqua (IM)

Omar: lo svezzamento imposto

Accettare la fine dell'allattamento è stato molto difficile sia per Omar che per me. Ho faticato molto a convincere Omar ad accettare un altro tipo di cibo, diverso dal mio latte. So che lo svezzamento è faticoso per tutti i bambini, ma credo che per i bambini allattati al seno lo sia molto di più. Devono accettare due tipi di cambiamenti: un nuovo tipo di alimentazione e il distacco dal seno della mamma.

Sono riuscita a svezzare Omar dopo due mesi di tentativi: rifiutava la pappa urlando disperatamente; io insistevo ogni giorno, ma quando proprio non riuscivo a fargli mangiare niente lo attaccavo al seno e lui finalmente si calmava. Ero addolorata, avrei voluto rinviare l'inizio dello svezzamento. Pensavo che se il bambino rifiutava così violentemente la nuova alimentazione forse non era pronto e sarebbe stato meglio aspettare e non forzarlo, ma il pediatra sosteneva che questo era il momento giusto e non mi sono sentita di contrastare le sue indicazioni, avevo paura che il bambino non crescesse a sufficienza per la sua età, che gli mancassero degli elementi necessari. Così, sia pure a malincuore, ho continuato nei miei "tentativi di convincimento".

A sette mesi compiuti Omar ha finalmente accettato di modificare la

sua alimentazione, cominciando a mangiare con piacere le sue pappe. Nello stesso tempo, in pochi giorni, Omar ha imparato a bere dal biberon, prima la camomilla (non l'aveva mai voluta nei mesi precedenti) e poi, a poco a poco, anche il latte in polvere. Io ho così smesso di allattarlo.
Adesso penso che se avessi aspettato ancora un paio di mesi lo svezzamento sarebbe stato più dolce, meno traumatico.
La fine dell'allattamento, che ha coinciso con l'inizio vero e proprio dello svezzamento, è avvenuta, a quel punto, senza problemi. Accettando di alimentarsi in modo nuovo, Omar si è anche distaccato dall'allattamento al seno.
Avrei potuto allattarlo ancora un po' di tempo, ma sentivo che quell'esperienza si poteva considerare conclusa, che il distacco, doloroso per entrambi, si era a quel punto consumato.
Mio figlio aveva accettato la nuova alimentazione e, soprattutto, di prendere latte dal biberon, perché evidentemente il distacco dal seno non era più così traumatico per lui.

Giulia Bussi, Milano

Alessandro: un bambino precoce

Quando Alessandro aveva circa cinque mesi, notai un comportamento strano. Aveva di nuovo

aumentato la richiesta di latte, ma in più dimostrava un vivo interesse per quello che io mangiavo, sbattendo la bocca, fingendo di masticare e cercando di afferrare il cucchiaio. Era un po' presto per l'età classica dello svezzamento, ma ormai avevo imparato che ogni bambino è diverso dagli altri e ciò che più conta è saperlo capire e lasciarsi guidare da lui che, per quanto piccolino sia, sa benissimo quali sono i suoi bisogni.
Così, ho provato a dargli qualcosa di solido, un po' di banana, un po' di mela, un po' di pera: gli sono piaciuti, altroché, sembrava non aspettasse altro!
Compiuti sei mesi gli ho fatto assaggiare anche cibi non dolci, come verdure, cereali, carne frul-

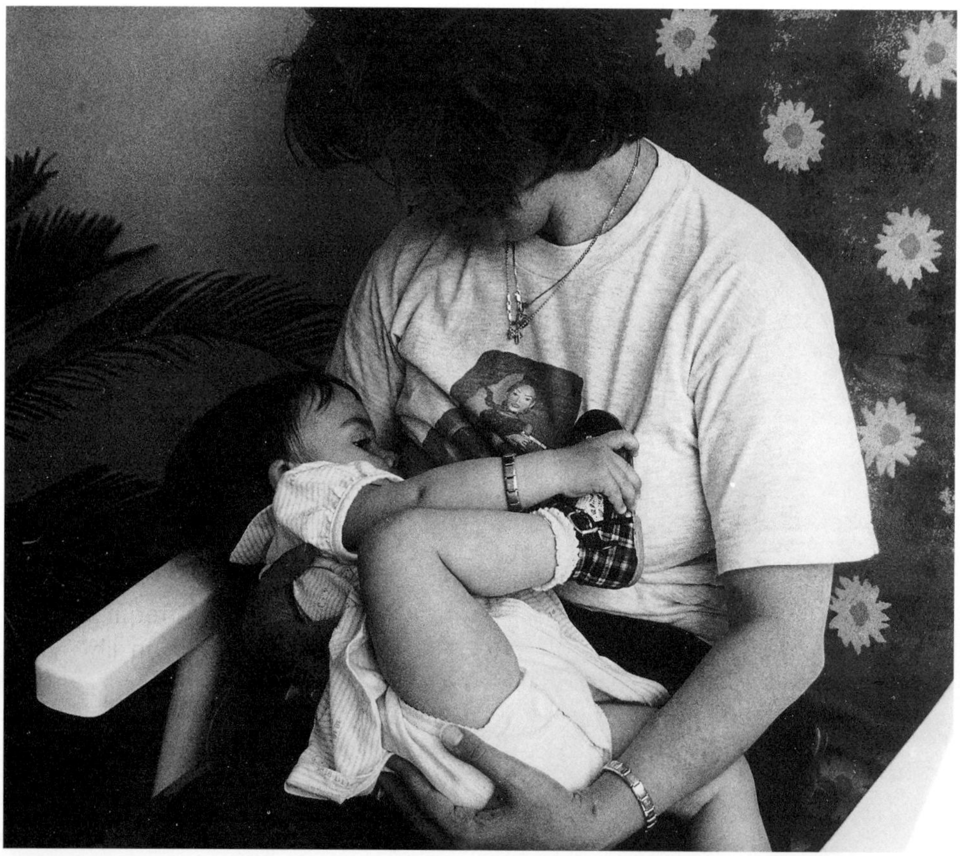

lata, ed anche questi, che di solito ai bambini piacciono meno, sono stati subito ben accettati da Alessandro che li divorava letteralmente, ponendomi come unico problema la... velocità nell'imboccarlo, che era sempre comunque lenta per le sue esigenze.
Ora Alessandro ha nove mesi; cosa devo dire, cresce bene, è sanissimo (lo porto dalla pediatra solo quando è lei stessa che lo chiede!)... è anche bellissimo, ma si sa, questa è un'opinione di mamma, quindi strettamente personale.
Problemi col cibo non ne ha mai avuti: prende ancora il mio latte almeno due volte al giorno, ma mangia anche di tutto e volentieri, senza lotte, piagnistei e capricci. Secondo me il "segreto" sta tutto nell'aver rispettato i suoi tempi e nel non averlo forzato con uno svezzamento troppo precoce. Vedo diversi bambini le cui mamme, mal consigliate, hanno cominciato a svezzare i loro bimbi molto presto, anche a tre mesi: di solito hanno un rapporto decisamente conflittuale col cibo, lo rifiutano, sputano tutto, ogni pappa una tragedia (anche per le madri), probabilmente perché hanno vissuto la cosa come un'imposizione fin dall'inizio. A noi finora non è mai successo!

Barbara Villa, Monza

Kyle: un bambino allergico

A circa sei settimane, mi resi conto del fatto che Kyle soffriva di aria intestinale continua, talvolta anche dolorosa. Riscontrai anche irrequietezza e vomito occasionale. Un giorno, in un libro che stavo leggendo, vidi per caso un paragrafo sui sintomi delle allergie: irrequietezza, coliche, aria, rossore intorno al retto, sfogo leggero, naso intasato, vomito occasionale. Kyle era così! Dopo altre ricerche, prove e sbagli, ci rendemmo

conto che Kyle era allergico a frutta, latte e latticini, uova, coloranti e aromatizzanti artificiali. Era estremamente difficile togliere questi alimenti dalla mia dieta ma la differenza in Kyle fu notevole.
Quando Kyle aveva approssimativamente sei mesi ci aspettavamo che un'aumentata richiesta di latte segnalasse che era pronto per i cibi solidi. A otto mesi aspettavamo ancora. A un anno, nonostante i livelli normali di ferro nel sangue, il pediatra suggerì di iniziare a dargli carni e tuorlo d'uovo. Kyle però rifiutava di mangiare, con conati di vomito se qualche cibo solido gli veniva messo in bocca.
Successivamente incontrai una donna con un bambino allergico di un mese più grande di Kyle. Anche questo bambino rifiutò di mangiare finché non ebbe un anno e mezzo. Potrebbe essere questo il modo della natura per proteggere il bambino allergico? Kyle era un bambino

che aveva tanto bisogno di me, poppando spesso, mangiando niente, ma era perfettamente sano ed aumentava di peso. Finalmente, un giorno, Kyle morsicò un cracker ingoiandone un pezzo. Non riuscivo a credere ai miei occhi. Forse era finalmente pronto per iniziare i cibi solidi.

Oggi Kyle poppa ancora tanto ma gradisce anche brodo e zucca. È un processo lento ma adesso sta almeno imparando a mangiare. Ho trovato un paragrafo in "Mothering Your Nursing Toddler" che ha confermato il mio sospetto che bambini turbati da problemi di allergie rifiutino cibi solidi finché non sono più grandi.

Saremo in debito per sempre con la LLL per l'appoggio che ci ha dato. Se avessi rinunciato all'allattamento e dato latte artificiale a Kyle sarebbe potuto diventare un bambino molto malato. LLL era l'unico posto dove potevo andare in cui le persone non rimanevano scioccate se Kyle a diciotto mesi era ancora pienamente allattato al seno.

Christy Schee, Missouri

Nota:
Le versioni integrali delle lettere sono state pubblicate sul bollettino trimestrale de La Leche League Italia "Da Mamma a Mamma"

Diego - con il titolo "L'introduzione dei cibi solidi seguendo le indicazioni del bambino" DMAM n° 48, Estate 1997;

Omar - con il titolo "L'allattamento e lo svezzamento di Omar" DMAM n° 29, Autunno 1992;

Alessandro - con il titolo "L'esperienza di Barbara e Alessandro" DMAM n° 31, Primavera 1993;

Kyle - senza titolo in DMAM n° 27, Primavera 1992.

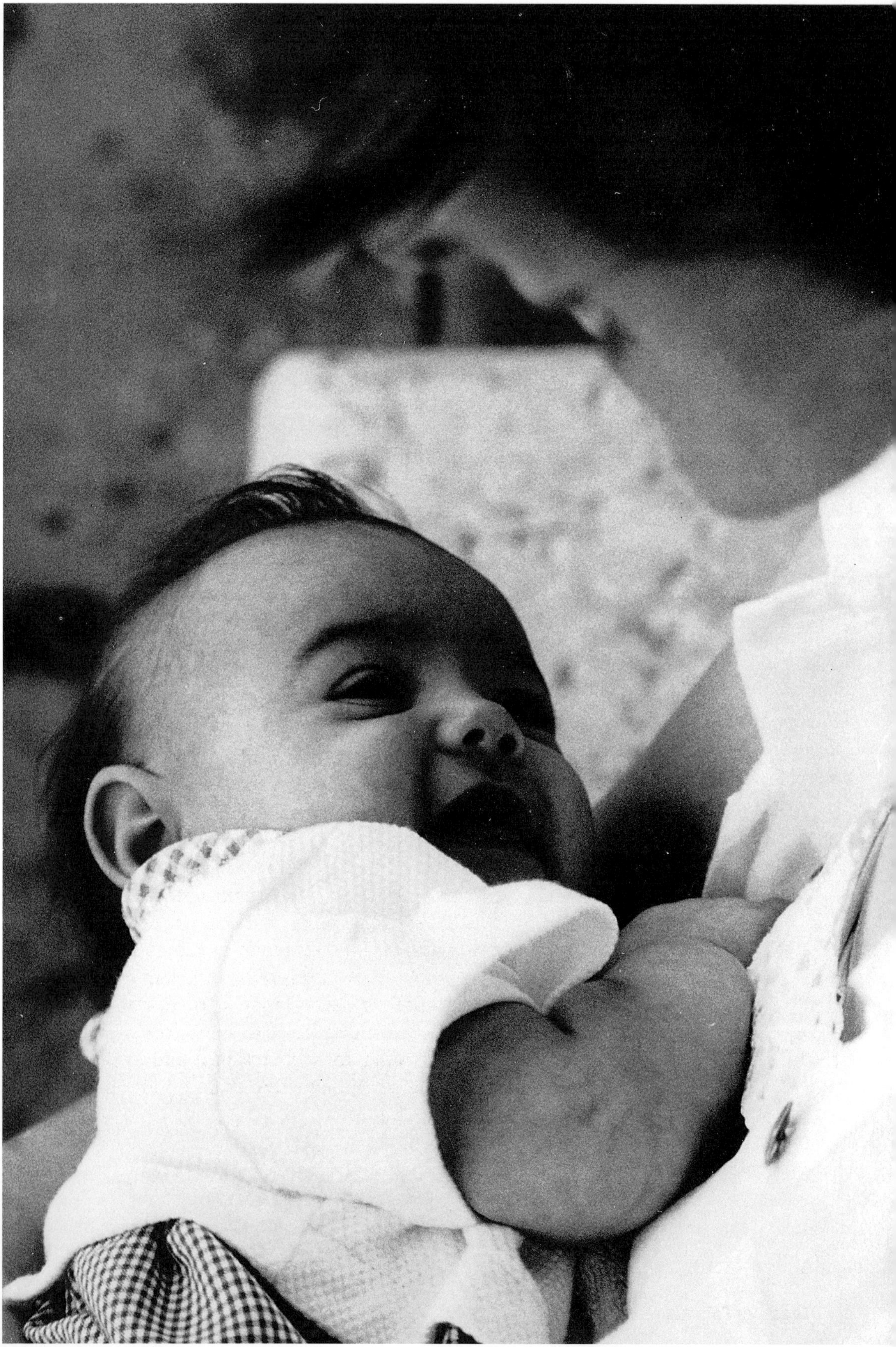

TANTI MODI PER SVEZZARE [6]

NANCY MOHRBACHER

Lo svezzamento è una delle poche esperienze che accomunano tutte le mamme che allattano al seno. Esso inizia quando il bambino incomincia a mangiare o bere qualcosa oltre il latte materno e termina con l'ultima volta che il bambino si attacca al seno. Viene spesso considerato un avvenimento, in realtà è un processo. A seconda dell'approccio, lo svezzamento può essere brusco o graduale. Può durare giorni, settimane o talvolta mesi.

Nel corso dei secoli lo svezzamento è sempre stato considerato un passaggio naturale della crescita. Oggi, invece di festeggiarlo come un processo naturale, molte madri pensano che lo svezzamento implichi privazioni e infelicità. È vero che un approccio rigido e brusco rende lo svezzamento doloroso e difficile ma non è indispensabile che le cose vadano così. Se lo svezzamento è graduale e affrontato con amore, considerando i sentimenti e le preferenze sia della madre sia del bambino, è un'esperienza molto positiva. Il modo con cui la madre affronta lo svezzamento può essere determinante per il benessere fisico ed emotivo proprio e del bambino.

Nel corso dei secoli lo svezzamento è sempre stato considerato un passaggio naturale della crescita.

Per evitare lo svezzamento brusco

Lo svezzamento brusco è più difficile sia per la madre che per il bambino e se possibile dovrebbe essere sempre evitato. Tra le conseguenze negative di questo tipo di svezzamento ci sono disagi fisici e potenziali complicazioni di salute per la madre, e siccome l'allattamento al seno conforta e dà intimità, lo svezzamento brusco può rivelarsi emotivamente traumatico per il bambino. Lo svezzamento graduale è preferibile perché dà alla madre il tempo di individuare altre forme di attenzione e dimostrazioni di affetto che compensino il bambino della perdita dell'allattamento al seno.

È bene considerare le alternative quando uno svezzamento brusco viene consigliato per motivi medici. Se la madre dice al medico che preferirebbe continuare ad allattare, o avere il tempo per svezzare gradualmente, spesso si pos-

sono trovare altre soluzioni. Per esempio, se il farmaco prescritto alla madre è uno tra quei pochi che sono incompatibili con l'allattamento al seno, il medico potrebbe essere in grado di sostituirlo con un altro, se sa che la madre desidera continuare ad allattare al seno; alcuni trattamenti farmacologici o procedure specifiche possono essere sia modificate che posticipate nel tempo, e La Leche League può dare informazioni sulla compatibilità dei farmaci con l'allattamento al seno. Anche quando la madre deve obbligatoriamente prendere un farmaco incompatibile con l'allattamento c'è comunque la possibilità di continuare a spremersi il latte e di ritornare ad allattare al seno al termine del trattamento farmacologico.

Nei rari casi nei quali uno svezzamento improvviso non può essere evitato, si possono ridurre i disagi fisici per la madre. Alcuni accorgimenti che potrebbero risultare utili sono:

- portare un reggiseno che sostiene bene il seno (potrebbe essere necessario di una taglia più grande rispetto a quella normalmente utilizzata),
- ridurre il sale, non diminuendo l'apporto di liquidi,
- cercare di estrarre regolarmente latte dal seno (in quantità appena sufficiente per diminuire il disagio).

Stimolando sempre meno spesso la produzione, la quantità di latte diminuirà lentamente. Fasciare il seno - talvolta viene ancora consigliato - è una tecnica superata che può aumentare il disagio, e causare l'ostruzione dei dotti e conseguenti complicazioni dolorose e pericolose per la salute. L'utilizzo di farmaci per far andar via il latte è inappropriato, in quanto questi farmaci hanno la loro efficacia solo nell'immediato post-partum.

Anche il bambino ha delle esigenze particolari durante uno svezzamento improvviso. Consulta il pediatra: in base all'età del bambino bisogna sapere quale alimenti offrirgli. Il bambino avrà inoltre bisogno di molta più attenzione e di essere tenuto in braccio. Sebbene molte madri avvertano l'esigenza di allontanarsi dai propri bambini durante lo svezzamento, per paura che il bambino insista con l'allattamento, ciò di cui il bambino ha maggiormente bisogno durante questo periodo è la rassicurazione di essere ancora amato.

Svezzamento programmato per un bambino piccolo

Se vuoi comunque svezzare tuo figlio dal seno prima che sia pronto a farlo da solo, ti ricordiamo che uno svezzamento graduale e programmato ha molti vantaggi rispetto a uno svezzamento brusco. Puoi togliere un pasto giornaliero al seno ogni due o tre giorni affinché la quantità di latte diminuisca lentamente, con poco o nessun disagio: ciò ti dà il tempo sia di assicurarti che il tuo bambino si stia adattando bene al cambiamento, sia di dargli ulteriori attenzioni

affettuose che gli offrano l'intimità condivisa durante l'allattamento.
Dato che alcuni bambini hanno una forte esigenza di succhiare, potrebbero trovare un altro sfogo, come succhiare il pollice, durante o dopo lo svezzamento; se invece preferisci che il tuo bambino usi un biberon o un succhiotto, puoi offrirglielo.

Svezzamento programmato per un bambino più grande o già ai primi passi

Il fattore emotivo dell'allattamento al seno diventa più importante con la crescita del bambino stesso.

Lo svezzamento programmato per un bambino più grande può richiedere diverse settimane o mesi di concentrazione e attenzione; questi sono necessari per aiutarlo ad abituarsi al cambiamento. Ecco alcune idee per facilitare il processo.

***Non offrire, non rifiutare* significa allattare al seno quando il bambino lo richiede, e non offrire di allattarlo in altri momenti.**

- Offrire pasti regolari, spuntini e qualcosa da bere per ridurre al minimo la fame e la sete del bambino.
- Fare attenzione agli altri motivi per cui un bambino può voler poppare: intimità, necessità di succhiare, conforto (se ferito; malato o agitato), noia (se non ha altro da fare), abitudine, e per addormentarsi.

Non offrire, non rifiutare significa allattare al seno quando il bambino lo richiede, e non offrire di allattarlo in altri momenti. Se utilizzato con i suggerimenti che seguono, questo consiglio può aiutarti ad accelerare il processo di svezzamento.

- Cercare di cambiare le abitudini giornaliere, per eliminare le poppate senza lacrime. La maggior parte dei bambini predilige un certo momento o un certo posto per poppare. Si può iniziare rendendosi conto di quando il bambino chiede di poppare e di come cambiare l'abitudine giornaliera, cosicché egli comincerà naturalmente a poppare meno frequentemente. Per esempio, se di solito vuole poppare quando la madre è seduta sulla sua sedia preferita, la madre potrebbe evitare di sedersi su quella sedia nel periodo in cui lo sta svezzando.
- Incoraggiare il padre del bambino a partecipare attivamente allo svezzamento. Se il bambino normalmente vuole poppare appena si sveglia la mattina, potrebbe essere il padre ad alzarlo e portarlo a fare colazione. Il padre potrebbe anche riaddormentare il bambino quando si sveglia di notte e trovare del tempo durante la giornata per uscire con lui.
- Prevenire le poppate offrendo alternative e distrazioni. Bisogna individuare le possibili alternative all'allattamento e considerare di nuovo le abitudini quotidiane e le ragioni per cui il bambino vuole poppare. Questo è un altro metodo già sperimentato per rendere più positivo per il bambino lo svezzamento programmato.

Molte strategie dolci possono essere utili per accelerare il processo dello svezzamento.

Gli alimenti, liquidi e solidi, devono essere offerti prima che il bambino chieda di poppare (se il bambino ha già chiesto di poppare, potrebbe sentirsi rifiutato se gli si offre un sostituto al posto della poppata). Per esempio, se hai un'idea generale degli orari delle poppate di tuo figlio, puoi offrirgli uno spuntino speciale o qualcosa da bere appena prima di una poppata e poi portarlo fuori nel suo luogo preferito, come un parco o la casa di un amico, come ulteriore distrazione. Se usi il cibo come alternativa, offrigli cibi sani e nutrienti e non dolciumi.

Le distrazioni sono più efficaci con certi bimbi che con altri. Alcuni bambini tendono a poppare più spesso quando sono a casa e non hanno altro da fare e a poppare meno frequentemente quando sono fuori e distratti da altre cose intorno a loro; per questo tipo di bambino durante lo svezzamento la madre può scegliere di passare più tempo possibile fuori casa in un ambiente che piaccia al bambino. Altri bambini invece poppano più spesso quando si sentono sopraffatti da ciò che li circonda. Per un bambino come questo la madre può decidere di stare di più a casa e ridurre al minimo le distrazioni.

- Posticipare gli allattamenti può essere particolarmente efficace per un bambino che poppa in momenti e luoghi diversi; questo funziona, però, solo se il bambino è abbastanza grande

da accettare di aspettare. Se il posticipare la poppata causa nel bambino la sensazione che la madre lo voglia allontanare, il bambino può voler poppare in maniera ancor più determinata.

- Accorciare la lunghezza delle poppate è normalmente più efficace con bambini che hanno più di due anni e può essere un buon inizio di svezzamento programmato per alcuni bambini.
- Contrattare talvolta funziona con il bambino più grande. Un bambino che è naturalmente vicino allo svezzamento può essere persuaso ad abbandonare l'allattamento al seno tramite un accordo reciproco, ma la maggior parte dei bambini con meno di tre anni non ha la maturità e la prospettiva per capire il significato di una promessa.

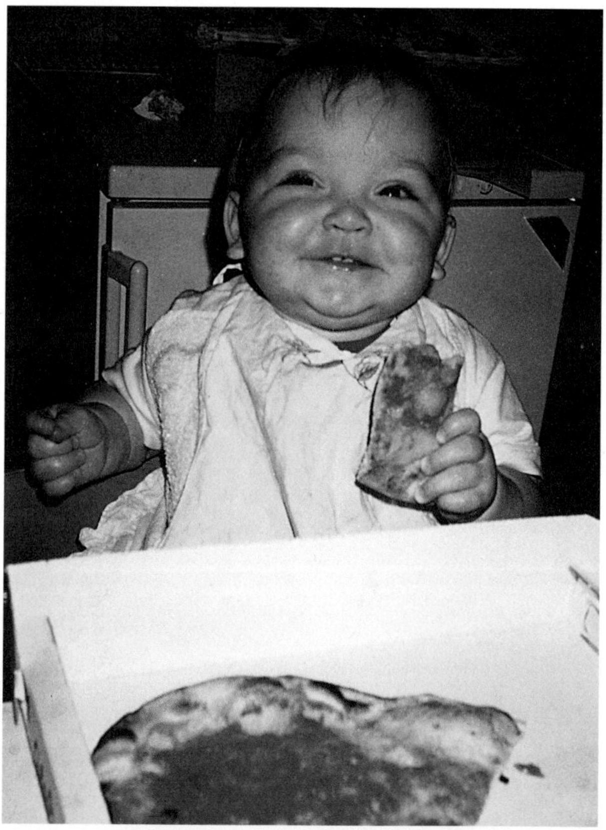

Osserva le reazioni di tuo figlio e rispetta le sue preferenze: tra le idee proposte, una può essere più efficace di un'altra. Per esempio può non gradire il posticipare la poppata, ma può farlo se distratto o se la si sostituisce con qualcosa d'altro da mangiare o da bere. Inoltre, alcune poppate possono essere per lui più importanti di altre. Se è così puoi continuare quelle più importanti fino alla fine e permettergli di abbandonarle per ultime. Se tuo figlio è molto affezionato a queste poppate, anche dopo aver abbandonato le altre, puoi scegliere di continuare ad allattarlo per un certo tempo. Per esempio, alcuni bambini reagiscono male alla privazione della poppata prima del sonnellino pomeridiano o notturno. Puoi decidere di andare incontro alle esigenze di tuo figlio in questo modo fino a quando è pronto a lasciare queste ultime poppate.

Osserva le reazioni di tuo figlio e rispetta le sue preferenze.

Un vantaggio dello svezzamento graduale e programmato è che puoi essere flessibile quando intervengono fattori insoliti. Quando tuo figlio è malato, per esempio, può voler poppare di più per trovare conforto: puoi allora tornare ad allattarlo più frequentemente fino a quando guarisce, sapendo che lo svezzamento riprenderà lo schema precedente appena il bambino starà meglio.

Svezzamento naturale

Durante la maggior parte della storia umana e nella maggior parte dei paesi del mondo i bambini vengono allattati per anni piuttosto che per mesi, con una media che va dai due ai quattro anni. È probabile, infatti, che, se si considera l'umanità nel suo insieme, lo svezzamento naturale sia quello più comunemente utilizzato. Sebbene nella nostra società, dopo l'avvento del latte artificiale, sia più comune ricevere consigli o imposizioni affinché il bambino sia svezzato entro il primo anno di vita, sempre più madri scelgono lo svezzamento naturale perché lo considerano giusto.

Molte madri hanno paura che se non iniziano a

svezzare il proprio bambino egli "vorrà poppare per sempre". In realtà i bambini perdono da soli l'abitudine a poppare, così come fanno con altri comportamenti infantili. Quanto tempo ci vuole? Così come c'è una grande variabilità rispetto all'età nella quale i bambini imparano a camminare, mettono il loro primo dente e imparano a utilizzare il bagno, l'età alla quale un bambino non ha più bisogno di poppare è altrettanto variabile. Un bambino può svezzarsi in modo naturale a uno o due anni, mentre per un altro può essere difficile a tre. Tra le ragioni che spingono un bambino a poppare per un periodo più lungo rispetto a un altro, ci sono una forte necessità di succhiare, un grande bisogno di intimità e contatto corporale, un'allergia non ancora riconosciuta o altri problemi fisici. Lo svezzamento naturale tiene conto delle differenze tra i bambini lasciandoli crescere ognuno secondo il proprio passo, abbandonando l'allattamento al seno in accordo con la propria tabella di marcia. Solo un fatto è sicuro: alla fine tutti i bambini si svezzano.

In realtà i bambini perdono da soli l'abitudine a poppare, così come fanno con altri comportamenti infantili.

Per molte madri la cosa più impegnativa dello svezzamento naturale è affrontare le opinioni altrui, con la paura di trovarsi in imbarazzo se il proprio bambino chiede di poppare in pubblico. Mentre è considerato normale vedere un bambino di due o tre anni con il biberon, ci possono essere reazioni di disagio riguardo al fatto che un bambino già grande stia ancora poppando. È comunque possibile mantenere il riserbo sulla poppata anche quando si svezza in modo naturale, perché quando un bambino diventa grande normalmente non poppa così spesso come da piccolo. Ciò rende possibile alla madre mettere dei limiti sul dove e quando poppare e, sebbe-

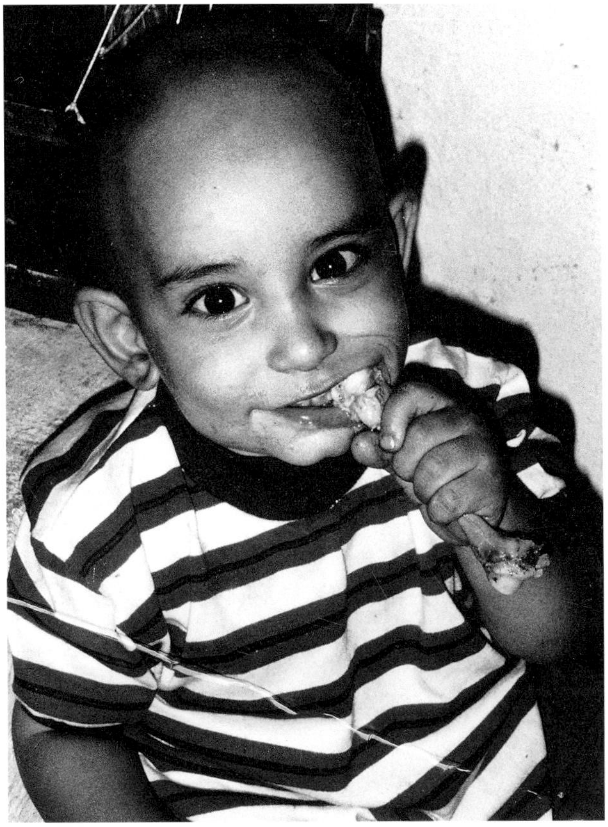

ne alcune madri limitino l'allattamento a certi posti e momenti, altre preferiscono prepararsi in anticipo. Un modo per risolvere il problema potrebbe essere quello di scegliere una "parola in codice", al posto della parola "poppare", che non sia imbarazzante per la madre quando il figlio la dice in pubblico. Per alcune madri, l'allattamento fuori casa può essere facilitata dalla scelta di un abbigliamento adatto. Potrebbe essere un'idea utilizzare coperture quali mantelle o scialli, cosicché il bambino possa poppare senza che nessuno veda, oppure comperare vestiti specifici per l'allattamento, con piccole aperture, per evitare di mettersi accidentalmente in mostra. Inoltre, spesso si può evitare di allattare in pubblico offrendo al bambino delle alternative, quali spuntini o cose da bere, o distrazioni, quali giocattoli o libri. La madre può infine cercare un posto riservato per allattare quando è fuori casa, come un camerino nel reparto abbigliamento di un grande magazzino, in macchina nel parcheggio o in un'altra stanza quando è in visita a casa di parenti o amici.

I bisogni del bambino e i sentimenti della madre

Sebbene l'approccio sia importante, anche i bisogni del bambino e i sentimenti della madre sono fattori che incidono sullo svezzamento. Alcuni bambini di una certa età sono più pronti di altri loro coetanei a fare questo passo. Se il bambino si agita e piange, o insiste per poppare anche quando la madre cerca di distrarlo o metterlo a proprio agio in altri modi, può voler dire che lo svezzamento sta procedendo troppo velocemente per lui, o che strategie diverse potrebbero essere più efficaci. Altri indizi che lo svezzamento potrebbe essere troppo brusco sono i cambiamenti o le regressioni nel comportamento, quali balbettare, svegliarsi di notte, un aumento marcato nel bisogno di contatto fisico, una nuova o più accentuata paura della separazione, mordere, se

Sebbene lo svezzamento sia un processo universale, ogni svezzamento è unico.

non è mai accaduto prima, così come sintomi fisici quali problemi di stomaco o costipazione.

Il bambino può anche essere influenzato dai sentimenti della madre. Se la madre è affettuosa e disponibile e si sente a proprio agio e fiduciosa delle proprie decisioni, è meno probabile che il suo bambino abbia difficoltà nello svezzamento. D'altro canto, se si sente colpevole per lo svezzamento o per condurlo in modo troppo rigido, potrebbe essere più difficile per lei essere gentile con il proprio bambino, e ciò può rendere il bambino ansioso e aumentare il suo desiderio di poppare. Sebbene lo svezzamento sia un processo universale, ogni svezzamento è unico. Il miglior consiglio per renderlo una celebrazione positiva della crescita è, per la madre, di ascoltare il suo cuore ed essere sensibile ai suggerimenti che provengono da suo figlio. Poiché l'allattamento al seno è più che dare semplicemente il latte, è meglio svezzare con gradualità e con amore.

[6] Opuscolo 125 de La Leche League International.

DICHIARAZIONE UFFICIALE DE *LA LECHE LEAGUE INTERNATIONAL* SULLO SVEZZAMENTO

Lo svezzamento è la cessazione graduale del rapporto di allattamento al seno fra una madre sensibile e suo figlio che cresce. La durata dell'allattamento e il ritmo dello svezzamento sono diversi per ogni coppia madre-bambino; per alcune madri e per i loro bambini sarà inferiore all'anno, mentre per altri durerà due o tre anni, o di più. La Leche League International fornisce appoggio ed incoraggiamento a tutte le madri senza distinzione, qualunque sia la loro preferenza riguardo all'età dello svezzamento.

Non esiste alcuna prova che continuare ad allattare un bambino dopo la prima infanzia sia nocivo per la madre o per suo figlio. È una consuetudine vecchia quanto l'umanità ed era comune anche nella cultura occidentale fino a circa 100 anni fa. Questa pratica fornisce al bambino una fonte di salute, di conforto e di calore umano e una transizione rilassata e graduale per uscire dalla prima infanzia. La Leche League International incoraggia le madri a prendere in considerazione la possibilità di proseguire l'allattamento finché il bambino non ne abbia più bisogno.

I bambini che sono allattati al seno oltre la prima infanzia, consumano anche una varietà di cibi e bevono dal bicchiere. Il fatto che madre e bambino continuino a godere il rapporto di allattamento al seno mentre il bambino si svezza gradualmente non deve essere fonte di preoccupazione, ma è piuttosto il segno di un rapporto emotivamente sano.

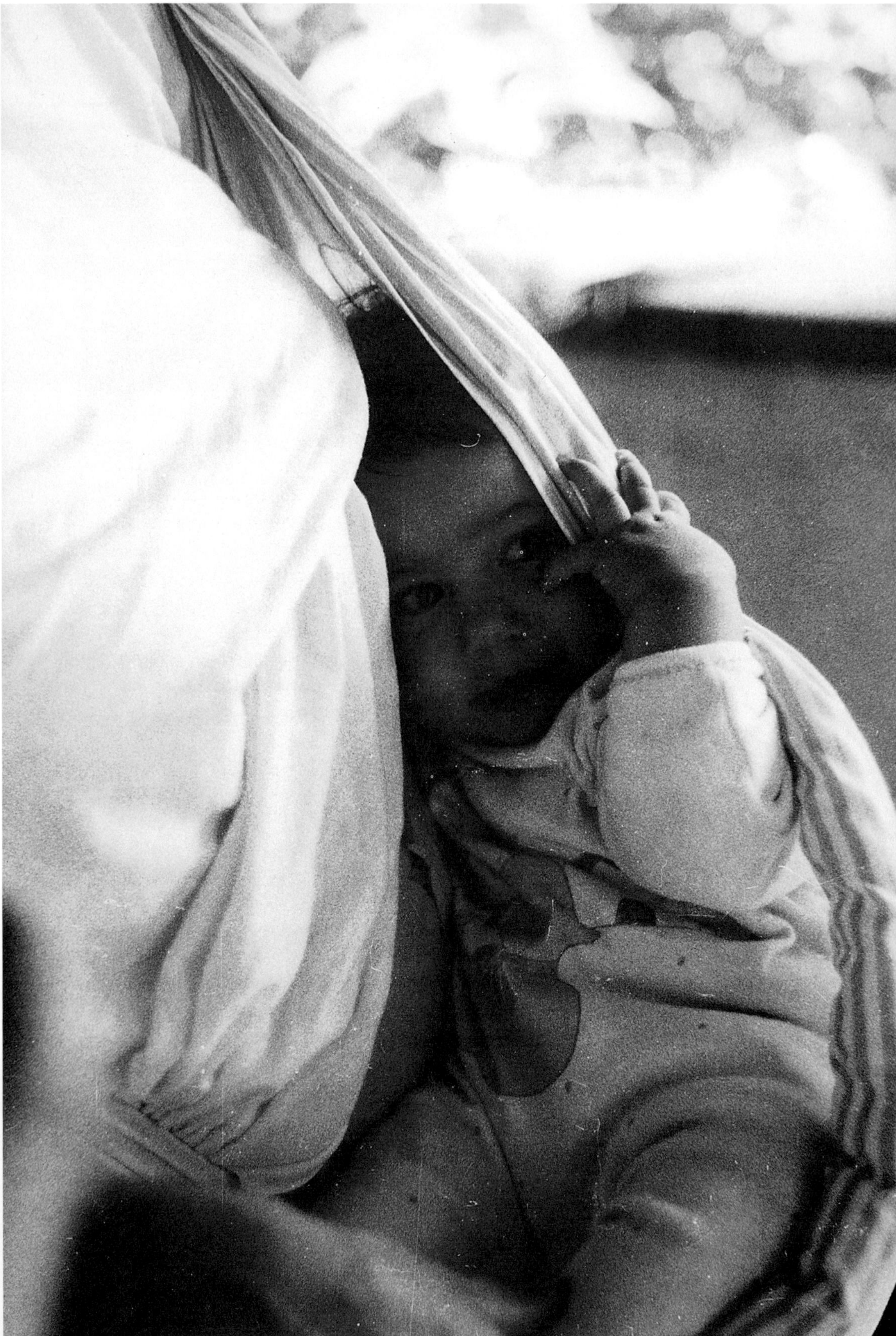

BIBLIOGRAFIA BREVE

Introduzione dei cibi solidi

LLLI, Comunicato Stampa: "Un nuovo studio afferma che l'allattamento al seno riduce i rischi di obesità infantile", *L'allattamento moderno* n. 28, La Leche League Italia, Autunno 2000

Ferrante, Enzo: Il divezzamento e i suoi errori: http://www.nutricia.it/numero 5/ntoday.htm

Greiner, Ted: Durata dell'allattamento materno esclusivo *L'allattamento Moderno* n. 29 inverno 2000

Sagone, Antonella: Una dieta variata per la nutrice facilita in seguito lo svezzamento *L'allattamento Moderno* n. 32 novembre 2001

Sokol, Ellen: Le risoluzioni dell'Assemblea Generale dell'OMS chiariscono alcune questioni legati al codice in *L'allattamento Moderno* n. 35 agosto 2002

IBFAN: Dichiarazione stampa in "L'allattamento Moderno" n. 32 febbraio 2002.

Alimentazione ed allergie

aa.vv.: "Allergie nei bambini allattati al seno" Opuscolo informativo n. 54 de La Leche League Italia

Bruce, Gene: "Vitamina B12, storia di una possibile carenza", AAM Terra Nuova n. 45/46, maggio-agosto 1989;

Van Veldhuizen, Gonneke: "Latte materno e inquinamento ambientale", *Da mamma a mamma* n. 60, Estate 2000

Parpia Khan, Shera Lyn: "Alimentazione materna in allattamento", *Da mamma a mamma* n. 65, Autunno 2001

Ledvinka, Ferro: "Anche la macrobiotica è relativa", AAM Terra Nuova n. 47, settembre-ottobre 1989.
Zeretzke, Karen: "Allergie e allattamento al seno" in *Da mamma a mamma* n. 59, Primavera 2000.

Allattare un bambino grande e distacco del bambino dal seno

aa.vv.: "Allatti ancora?", opuscolo n. 97, LLL Italia
aa.vv.: Articoli e lettere sul tema "Non ciuccia più!" in *Da mamma a mamma* n. 57, autunno 1999
Bumgarner, Nora Jane: "Mothering your nursing toddler", La Leche League International, 1999
Call, Justin: "I timori dello svezzamento tardivo", ed altri articoli sull'allattamento del bambino oltre i primi mesi, *Da mamma a mamma* n. *66*, inverno 2001
Hormann, Elizabeth: "L'allattamento prolungato ha vantaggi nutrizionali per i bambini?" ed altri articoli nella pubblicazione M1 "Allattare dopo i primi mesi" de LLL Italia.

Natura e cultura, antropologia

aa.vv.: "Allattamento in passato". Raccolta di lettere delle mamme in DMAM n. 62, inverno 2000
Mohrbacher, Nancy. e Stock, Julie: The Breastfeeding Answer Book, La Leche League International, 1997
Sagone, Antonella: Il falso e il vero sull'allattamento al seno, opuscolo M6 de LLL Italia
Sagone, Antonella e Parpia, Shera Lyn: Allattare al seno: è facile o difficile? Opuscolo M7 de LLL *Italia.*

La fotografia...

a pag.	6		è di Giada con mamma Milvia Foscoli
a pag.	9		è di Sanzio e Lidia Pedersoli
a pag.	11		è di Pietro Pedrazzi
a pag.	13		è di Alice Simbolotti
a pag.	16	e in copertina	è di Lorenzo con mamma Veronica Pozzi
a pag.	19		è di Ilaria Loda
a pag.	21	e in copertina	è di Bianca di Minno
a pag.	22		è di Irfan Khan
a pag.	25		è di Lidia con mamma Christina Smedberg
a pag.	28	e in copertina	è di Alice Bertoloni
a pag.	30		è di Diletta con mamma Tiziana Catanzani
a pag.	32	e in copertina	è di Alois Faramelli
a pag.	35		è di Bianca Valente
a pag.	37		è di Giordano con mamma Anna Zini
a pag.	39	e in copertina	è di Andrea Gasparrini
a pag.	43		è di Curran Parpia con zia Sheri Khan
a pag.	44		è di Andrea Gasparrini
a pag.	45		è di Giordano con papà Massimo di Giampaolo
a pag.	46		è di Flavia de Angeli
a pag.	50		è di Aloïs con mamma Elisabeth Clainchard
a pag.	51		è di Andrea Gasparrini
a pag.	52		è di Sara con papà Marco Bertoloni
a pag.	59	e in copertina	è di Anna Soffiati
a pag.	60	e in copertina	è di Giulia Rabolini
a pag.	62		è di Anna Soffiati
a pag.	63		è di Daniele con mamma Monica Bielli
a pag.	64		è di Rossella con mamma Paola Quirico
a pag.	66		è di Sara Bertoloni
a pag.	68		è di Linda Benatti
a pag.	70		è di Jonathan con mamma Francesca Vitale
a pag.	72		è di Viola del Toro
a pag.	75		è di Emilio Gardoni
a pag.	76	e in copertina	è di Sara Muffato
a pag.	79		è di Azad Cariappa
a pag.	80		è di Giuseppe Saggese
a pag.	81		è di Marco Benini
a pag.	82		è di Rebecca con mamma Chiara Perani
a pag.	84		è di Marianna Valente

Grazie!

ANNOTAZIONI E RICETTE

Le nostre pubblicazioni

LIBRI

L'arte dell'allattamento materno, il manuale de LLL Italia, di più di 500 pagine, tratta tutti gli aspetti dell'allattamento al seno, includendo testimonianze di genitori e contributi di esperti. Il libro illustra la quotidianità dell'allattare e accudire un bambino, suggerisce come prevenire e superare i problemi che si possono incontrare durante l'allattamento e affronta molti altri argomenti, compresi il sonno, l'educazione, i rapporti familiari, lo svezzamento e l'alimentazione del bambino e della madre.

Genitori di giorno e... di notte, scritto da un medico che è anche padre di otto figli, è un altro libro utilissimo per i genitori alle prese con il sonno dei bambini piccoli. Aiuta i genitori a capire come e perché i bambini dormono in modo diverso dagli adulti, perché hanno bisogno di poppare anche la notte e come armonizzare l'accudimento notturno con i ritmi familiari.

Allatti ancora? Questo libro offre una comprensione empatica per le esigenze di madre e bambino e appaga i bisogni di conoscenza dei genitori riguardo al loro bambino "grande" allattato al seno. L'esperienza di allattare un bambino "grande" è inquadrata nel contesto dell'intera relazione madre-figlio. A sostegno dell'allattamento di un bambino ai primi passi si citano evidenze biologiche, culturali e storiche, condividendo storie tratte da migliaia di famiglie nelle quali l'allattamento al seno e lo svezzamento spontaneo sono state la norma.

Crescerli con amore: l'avventura della disciplina dolce. Quali difficoltà incontrano gli altri e come affrontano i loro limiti, quando decidono di mettere l'empatia e il rispetto al centro del loro modo di essere genitori? Cos'è che ci aiuta a crescere come genitori? Per approfondire l'argomento, le esperienze di tantissimi padri e madri sono state raccolte ed analizzate alla ricerca di modelli comuni.

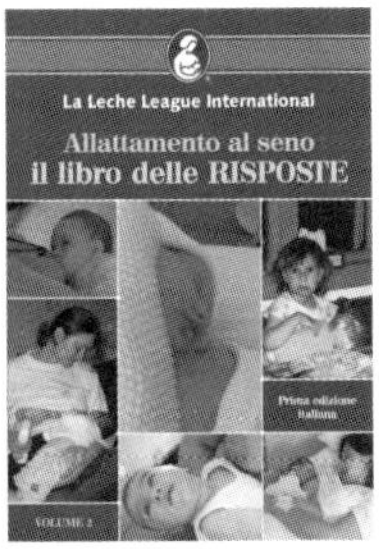

Allattamento al seno - Il libro delle RISPOSTE, 2 volumi. È un compendio completo e aggiornato sulle conoscenze scientifiche e sulla pratica della consulenza per l'allattamento al seno, accompagnato da un'ampia bibliografia, con integrazioni a riferimenti italiani. Il suo formato permette la consultazione rapida, ma contiene approfondimenti che lo rendono una risorsa pratica e formativa completa per gli operatori e le strutture sanitarie che assistono nutrici e lattanti.

DVD

Kangaroo Mother Care. Questo DVD del prof. Nils Bergman, un'opera unica nel panorama italiano, è dedicato al metodo marsupio, l'accudimento pelle-a-pelle dei bambini prematuri. Mostra come, con l'aiuto di una speciale camicia "avvolgente" e con ogni tipo di ausilio medico necessario il neonato, anche di peso estremamente basso, possa vivere rannicchiato sul petto della mamma, a contatto con la sua pelle. Doppiato in italiano, è stato tradotto da La Leche League Italia.

PUBBLICAZIONI PERIODICHE

Da mamma a mamma è la rivista trimestrale de LLL Italia per genitori e persone interessate all'allattamento al seno. Ricca di testimonianze di madri e padri, contiene articoli, originali o tratti da riviste internazionali, utili sia per quanto riguarda l'allattamento al seno sia per l'orientamento nelle scelte quotidiane dei genitori.

L'Allattamento moderno, trimestrale medico-scientifico de La Leche League Italia, contiene informazioni aggiornate su ricerche, congressi ed eventi riguardanti l'allattamento materno e la lattazione umana. Offre una rassegna bibliografica, relazioni, articoli e abstract originali o tratti da riviste specializzate italiane e internazionali.

LE PUBBLICAZIONI DE LLL ITALIA SONO REPERIBILI PRESSO LE CONSULENTI DE LA LECHE LEAGUE, OPPURE PER ABBONAMENTO O SPEDIZIONE POSTALE.

La Leche League è un'associazione internazionale di volontariato, apolitica, aconfessionale e non a scopo di lucro, il cui obiettivo è offrire informazione, incoraggiamento e sostegno alle mamme che desiderano allattare al seno i loro figli.

È nata nel 1956 negli Stati Uniti, dall'intuizione delle fondatrici, 7 donne che si resero conto che i problemi che le mamme incontravano al momento di iniziare l'allattamento erano piuttosto diffusi e comuni, e che con le informazioni giuste ed il sostegno reciproco l'allattamento di tante donne avrebbe potuto avere successo.

Oggi, LLL è un'autorità riconosciuta a livello internazionale nel campo dell'allattamento materno, ed è presente in 66 Paesi con 7000 consulenti.

Il suo scopo continua ad essere fornire informazioni e sostegno da mamma a mamma, così da poter aiutare la neo mamma a raggiungere la competenza per poter allattare al seno il suo bambino.

Le consulenti de La Leche League forniscono alle mamme questo tipo di sostegno tramite gli incontri mensili, la consulenza telefonica e la distribuzione delle pubblicazioni.

CONTATTA LA CONSULENTE
DELLA TUA ZONA PER ALTRE INFORMAZIONI

Come rintracciare La Leche League

Con migliaia di gruppi che si incontrano ogni mese in tutto il mondo, ci sono buone probabilità di trovarne uno anche nella tua zona. Le consulenti de La Leche League fanno il possibile per pubblicizzare gli incontri e permettere alle mamme di reperire facilmente il gruppo locale. In diverse zone si effettuano anche incontri specifici riguardanti l'allattamento dei bambini più grandi.

Sul numero più recente della rivista de LLL Italia Da mamma a mamma si trova l'elenco aggiornato di tutte le consulenti attualmente attive in Italia. Per contattare la consulente più vicina puoi far riferimento a questo elenco.

Il recapito più vicino può anche essere richiesto tramite il sito internet de LLL (al link http://www.lllitalia.org).

Puoi anche telefonare al numero unico nazionale

199 432326

o scrivere a: La Leche League Italia - via Antonio Veranzio, 15 - 00143 Roma.